CB006461

PEGASUS
E O FOGO DO OLIMPO

KATE O'HEARN

Volume 1

Tradução
Cassius Medauar

© 2011, *by* Kate O'Hearn
Todos os direitos reservados.
Tradução para a língua portuguesa: copyright © 2011, Texto Editores Ltda.

Título original: *Pegasus and the Flame*

Direção editorial: Pascoal Soto
Editora: Mariana Rolier
Produção editorial: Sonnini Ruiz

Tradução: Cassius Medauar
Preparação de texto: Bruna Gomes
Revisão: Vivian Miwa Matsushita
Diagramação: S4 Editorial
Adaptação de capa: Retina 78

DADOS INTERNACIONAIS DE CATALOGAÇÃO NA PUBLICAÇÃO (CIP-BRASIL)
Ficha catalográfica elaborada por Oficina Miríade, RJ, Brasil.

O37 O'Hearn, Kate
Pegasus e o Fogo do Olimpo / Kate O'Hearn; tradução: Cassius Medauar.
– São Paulo : Leya, 2011.
296p. – (Olimpo em guerra ; 1)

Tradução de *Pegasus and the Flame*
ISBN 978-85-8044-075-1

1. Literatura americana – ficção. 2. Ficção fantástica. 3. Literatura infanto-juvenil. I. Título. II. Série.

10-0065 CDD 813

TEXTO EDITORES LTDA.
[Uma editora do grupo Leya]
Av. Angélica, 2163 – Conj. 175/178
01227-200 – Santa Cecília – São Paulo – SP
www.leya.com

Como sempre, sem o apoio e o amor de minha família, sem minhas incríveis editoras Anne e Naomi e sem meu fantástico agente V, este livro nunca teria visto a luz do dia. Obrigada, gente, vocês são o máximo! (OTB nunca morrerá.)

Também gostaria de dedicar este livro a todos os cavalos do mundo, especialmente os que sofrem em condições horríveis de trabalho e abusos. Gostaria que Pegasus pudesse resgatar todos vocês. Sem ele, cabe a nós fazer com que tenham uma vida melhor.

Meu caro leitor, por favor, ajude quando e onde puder. Cavalos que sofrem abuso estão por aí, esperando seu amor e assistência.

Prólogo

A guerra chegou ao Olimpo. Não houve aviso. Nenhuma pista de que algum inimigo desconhecido estava construindo um exército contra eles. Um exército cuja meta era a destruição completa. Em um momento havia paz; no outro, a luta por sua própria existência. A batalha foi sangrenta, brutal e totalmente inesperada, mas, para os Olímpicos, era a oportunidade perfeita de realizar um sonho.

Paelen se abaixou atrás de uma coluna e viu os melhores guerreiros Olímpicos se reunirem para lutar contra os invasores. Júpiter liderava o ataque, carregando seus raios e trovões nas mãos. Sua esposa, Juno, estava à esquerda, pronta e com o rosto sério. À direita, Hércules parecia forte e preparado, da mesma forma que Apolo e sua irmã gêmea, Diana, que trazia um arco na mão. Marte também estava lá, assim como Vulcano e seu arsenal de armas. Parado atrás deles, com suas sandálias aladas e seu elmo, estava Mercúrio, o mensageiro do Olimpo. Todos se preparavam para a batalha.

O olhar de Paelen alcançou Pegasus. Os olhos do garanhão faiscavam e suas asas tremiam enquanto seus cascos de ouro batiam no chão, com a expectativa da batalha que estava por vir.

Mais atrás, outros Olímpicos se reuniam, todos preparados para defender sua casa.

Mas Paelen não pretendia lutar. Ele não era um guerreiro, e sim um ladrão com planos próprios que não envolviam ser morto em uma batalha que eles não poderiam ganhar. A guerra era problema dos outros. Ele estava muito ocupado se concentrando em como lucrar com tudo aquilo. Com os guardas preocupados em se defender dos Nirads, um ladrão poderia entrar no palácio de Júpiter e pegar o que quisesse, mas não eram os tesouros de Júpiter que interessavam a Paelen. Ele desejava as rédeas de ouro usadas por Pegasus.

Todos no Olimpo sabiam que as rédeas eram o maior tesouro de todos, pois eram a chave para conquistar o poderoso garanhão alado. Se controlasse Pegasus, Paelen poderia ir aonde quisesse e tomar o que quer que chamasse sua atenção, sem que ninguém pudesse se opor a ele. Isso sim era um verdadeiro prêmio, e não joias estúpidas ou moedas de ouro, que podiam ser encontradas no palácio abandonado.

Quando Júpiter chamou seus soldados à frente, Paelen se esgueirou mais para perto, a fim de ouvir seu discurso desesperado.

– Meus filhos – ele falou gravemente –, estamos em nosso momento mais sombrio. Nunca antes em nossa história tivemos de enfrentar um perigo tão terrível. Os soldados Nirad invadiram nossas fronteiras e neste momento estão atrás do Fogo do Olimpo. Se conseguirem apagá-lo, todos os nossos poderes desaparecerão e tudo o que conhecemos estará perdido. Temos que detê-los! A Chama é a nossa própria existência. Não podemos deixar que saiam vitoriosos. Se não pudermos resistir a eles agora mesmo, tudo o que conhecemos será destruído!

Paelen ouviu os murmúrios da multidão e sentiu a tensão crescer. Seus olhos ainda estavam travados em Pegasus. O garanhão sacudiu a cabeça e bufou, fazendo com que suas rédeas douradas tilintassem encantadoramente, de um jeito que nenhum outro ouro forjado poderia fazer.

Ouvir o som das rédeas fez com que os dedos de Paelen coçassem de vontade de se esticar e agarrá-las, mas ele se controlou. Ainda não era a hora. Seus olhos escuros foram atraídos novamente para o líder desesperado.

– Nós, que nunca morremos, agora estamos diante de nossa destruição – Júpiter continuou. – Mas não é apenas o nosso mundo que precisamos defender. Todos os mundos que protegemos cairão se os Nirads nos derrotarem. Temos que lutar por eles!

Júpiter levantou seus raios e o som feroz de seus trovões ecoou por todo o Olimpo.

– Vocês estão comigo? – gritou. – Vão se levantar contra os invasores e fazer com que eles voltem para o lugar de onde vieram?

Os olhos de Paelen se arregalaram com a visão de todos os Olímpicos erguendo seus braços em direção a Júpiter. Pegasus se apoiou apenas em suas patas traseiras e abriu as asas em uma saudação. Os gritos de batalha tomaram o ambiente.

– Pelo Olimpo! – Júpiter gritou enquanto se virava e liderava seus guerreiros para a batalha.

Capítulo 1

Emily colocou a mão na janela e sentiu o vidro tremendo por causa dos pesados trovões que ribombavam no céu. Durante todo o dia as emissoras de rádio estiveram noticiando as violentas tempestades que atingiram a costa leste dos Estados Unidos de cima a baixo. No lugar onde Emily morava, o coração de Nova York, a tempestade estava pior do que nunca. Sentada sozinha no apartamento que dividia com seu pai, que era policial, nunca imaginara que uma tempestade de raios e trovões poderia ser tão ruim assim.

Ela apertou o celular e se sentiu mal por mentir para o pai. Ele só tinha ligado para ver se estava tudo bem.

– Todos os policiais foram convocados para trabalhar, querida – explicou seu pai. – Estamos fazendo dois ou três turnos seguidos. A cidade está uma loucura por causa do tempo e eles precisam de todo o efetivo nas ruas. Pode me fazer um favor? Fique longe das janelas. Os raios estão atingindo toda a cidade e nosso apartamento, por ser no último andar, está mais exposto.

Mas, mesmo com o aviso dele e de sua promessa de se afastar, Emily estava sentada no sofá, ao lado da janela, assistindo a tempestade. Aquele sempre foi o lugar preferido de sua mãe. Ela dizia que aquele era seu "poleiro", seu lugar especial de se sentar e ver o mundo se movendo vinte andares abaixo. Desde a morte de sua mãe, Emily passou a se sentar ali mais e mais, como se, de alguma forma, aquilo as aproximasse.

Mas esse não era o único motivo. Daquele lugar privilegiado, Emily podia ver o topo do Empire State e quanto ele estava sendo castigado pela tempestade. Certa vez seu pai lhe dissera que aquele edifício funcionava como um grande para-raios que protegia os prédios vizinhos. Mas quanto mais raios duplos atingiam sua grande antena, mais Emily se perguntava quanto ele poderia aguentar.

A garota abraçou forte os joelhos para que não tremessem. Ela nunca teve medo de trovões quando sua mãe estava viva. Juntas, sempre davam um jeito de transformar o tempo ruim em algo divertido e animado. Mas agora, sozinha e com o pai trabalhando, Emily sentia a morte de sua mãe tão forte quanto no dia em que ela tinha morrido.

– Queria que estivesse aqui, mãe – sussurrou tristemente enquanto olhava pela janela. E, como já ocorrera muitas vezes, seus olhos se encheram de lágrimas, que depois escorreram por suas bochechas.

De repente houve um trovão ainda mais forte. Um flash de raio muito brilhante atingiu o Empire State com tanta força que a antena no alto do prédio explodiu em meio a estilhaços e faíscas de eletricidade.

Emily mal podia acreditar no que testemunhara. Enquanto limpava as lágrimas dos olhos, as luzes do prédio acendiam e apagavam. Imediatamente, o mesmo aconteceu com os prédios ao redor. A escuridão se espalhava como uma mancha de suco de uva no tapete. A cidade estava sofrendo um apagão.

Emily seguia a progressão do apagão olhando em direção à Broadway. Um quarteirão escurecendo atrás do outro. Até mesmo as luzes da rua e os semáforos estavam apagados. Não demorou muito para que a falta de luz atingisse o seu quarteirão e deixasse seu prédio no escuro. Ela encostou-se no vidro da janela tentando ver onde acabaria o apagão, mas ele seguiu em frente e toda a cidade ficou mergulhada na escuridão.

Ela pulou quando seu celular tocou. Com as mãos tremendo, abriu o aparelho e viu o nome do pai no pequeno visor.

– Pai! – ela falou alto. – O senhor não vai acreditar no que acabou de acontecer! O topo do Empire State explodiu! Um raio o atingiu e ele explodiu, com pedaços voando para todos os lados!

– Acabaram de me falar – disse o pai um pouco ansioso. – Você está bem? Alguma coisa acertou o nosso prédio?

– Não, está tudo bem – Emily respondeu, escondendo a verdade, pois estava começando a ficar com medo. – Mas acabou a força. Pelo que estou vendo, a cidade toda está sem luz.

Do outro lado da linha, Emily pôde ouvir uma segunda voz. Seu pai soltou um palavrão antes de voltar a falar com ela. – Estamos recebendo relatos de que o apagão se espalhou por toda a cidade e agora está atingindo Nova Jersey. Este é dos grandes, Emily, e, pelo que acabaram de me falar, não será resolvido rapidamente. Quero que vá até o banheiro e encha a banheira de água. Depois encha tudo o que puder na cozinha também. Não sei quanto tempo isso vai durar e vamos precisar de água.

– Pode deixar – ela prometeu. Depois, antes que desistisse, perguntou com a voz fraca. – Pai, quando você vem para casa?

– Não sei, querida – ele respondeu. – Espero que logo. Olha, quer que eu ligue para a tia Maureen e peça para ela ir até aí e ficar com você?

Emily adorava a tia, mas não queria parecer um bebê. Ela já tinha treze anos e era velha o suficiente para tomar conta de si mesma.

– Não pai, obrigada. Estou bem.

– Tem certeza? – o pai perguntou. – Aposto que ela gostaria de companhia.

– Sim, tenho certeza – ela respondeu. – Só fiquei um pouco assustada com a tempestade, mas tenho muito que fazer por aqui. Sem falar que é perigoso demais para a tia Maureen vir até aqui no meio de tudo isso e ainda subir vinte andares de escada. Estou bem, de verdade.

Houve certa hesitação na voz do pai antes de dizer:

– Tudo bem, mas se precisar de mim ou de qualquer coisa é só ligar, entendeu?

– Pode deixar. Obrigada, pai. Agora é melhor eu desligar antes que a água acabe.

Emily desligou e usou a luz do celular para iluminar o caminho até a cozinha. Logo encontrou a lanterna para emergências e foi até o banheiro.

Aquele era o procedimento padrão em apagões: encher a banheira e tudo o mais que fosse possível com água. Uma das coisas ruins de morar em um prédio alto em um apagão era que as bombas logo paravam de bombear a água para os apartamentos. Se não estocassem o máximo de água possível, logo estariam com problemas.

Emily começou a encher a banheira e depois os potes e panelas na cozinha. Assim que acabou de encher uma grande tigela de sopa, a pressão da água começou a enfraquecer. Não demoraria muito para que acabasse completamente.

– Bom, melhor que nada. – Ela suspirou alto e depois fechou todas as torneiras.

Enquanto trabalhava, Emily conseguiu se esquecer da tempestade por alguns minutos, mas, com as torneiras fechadas, o barulho dos trovões e das sirenes provenientes da cidade eram os únicos sons no apartamento.

Pela janela do banheiro pôde ver outro raio e ouviu um trovão poderoso. O raio foi tão brilhante que a deixou vendo flashes, mesmo depois de ter fechado os olhos. Não houve pausa entre a luz e o som, o que significava que tinha caído bem perto.

Enquanto o trovão ribombava nervosamente, Emily se afastou da janela; dessa vez ela seguiria os conselhos do pai e ficaria longe delas. A tempestade estava bem ali, e piorava a cada minuto.

Capítulo 2

Paelen observou chocado a destruição à sua volta. Ele jamais tinha visto algo assim. O palácio estava em ruínas, bem como as construções mais próximas.

Ele tentara acompanhar os defensores, mas acabou ficando para trás. Agora, bem longe, ouvia os constantes barulhos dos trovões de Júpiter e via os clarões dos raios no céu. A violenta batalha continuava furiosa, mas distante da área devastada.

O coração de Paelen parou ao ver Mercúrio no chão. O mensageiro estava deitado de lado, com uma lança fincada em seu peito. Havia sangue em seus cabelos loiros e seu rosto estava todo machucado. Paelen se abaixou para ver se ele ainda estava vivo.

Mercúrio abriu devagar seus pálidos olhos azuis.

– Paelen – disse ofegante –, já acabou? Eles apagaram o Fogo?

Paelen pensou se deveria pedir ajuda a alguém, mas não havia mais ninguém por ali. Pelo que viu, todos por perto estavam mortos ou morrendo.

– Acredito que ainda esteja aceso. Vi os outros indo em direção ao templo.

– Temos que deter os Nirads! – Mercúrio segurou no braço de Paelen e tentou se levantar. – Me ajude a ficar em pé.

Paelen o ajudou a se levantar e, quando ficou em pé, Mercúrio arrancou a lança do peito. O ferimento se abriu e o sangramento aumentou. Suas pernas cederam e ele caiu no chão novamente, enfraquecido.

– A guerra acabou para mim. Estou acabado! – Mercúrio ofegou.

– Não está não – disse Paelen com receio, enquanto se ajoelhava ao lado do mensageiro e o apoiava em seu colo. – Você tem que se levantar, Mercúrio.

O mensageiro fez que não com a cabeça.

– É tarde demais...

Ele começou a tossir e o sangue escorreu dos cantos de sua boca.

– Ouça, Paelen – ele ofegou. – Você precisa se unir à batalha. Os Nirads não podem extinguir o Fogo.

– Eu? Lutar? – Paelen repetiu. Depois sacudiu a cabeça. – Não posso. Olhe para mim, Mercúrio. Não tenho poderes de verdade, não sou grande e forte como Hércules e não sei lutar como Apolo. Não sei usar armas e não sou rápido como você. Só sei ser um ladrão. Minha única habilidade é a de esticar meu corpo para fugir de prisões e me espremer em lugares apertados. E sabe como odeio fazer essas coisas, porque dói muito. Sou um covarde e nada mais.

Mercúrio pegou a mão de Paelen e o puxou para perto.

– Me ouça, Paelen. Sei que ainda é muito jovem – ele ofegou – e sei que não é tão grande e forte como o resto de nós, mas é mais inteligente e corajoso do que imagina. Você pode fazer a diferença!

Novamente, Paelen balançou a cabeça em sinal de negação.

– Você está pedindo demais. Não sou a pessoa que acha que sou. Não sou nada!

Mercúrio apertou a mão de Paelen enquanto se esforçava para conseguir falar.

– Você é especial, Paelen. Talvez esta seja a única chance que terá para provar isso. Sei que nunca se considerou um verdadeiro Olímpico, mas você é um e carrega em si o que é necessário para ser alguém formidável. Este é o momento de se juntar ao seu povo e defender o seu lar. Mostre para mim, Paelen. – Mercúrio tossiu. – Mostre a todos nós do que é capaz.

– Mas eu... eu... – Paelen balbuciou.

– Por favor! – Mercúrio implorou. – Nos ajude!

O grito de guerra dos Nirads furiosos preencheu o ambiente. Não demoraria muito para que eles chegassem.

– Uma segunda onda de inimigos está chegando – Mercúrio continuou, quase sem forças. – Precisa sair daqui. Pegue minhas sandálias aladas. O meu elmo se foi, mas ainda poderá voar com elas. Use-as e se junte à batalha.

– Suas sandálias? – Paelen clamou. – Não posso! Elas só funcionam com você!

O mensageiro caído engasgou e tossiu. Seus olhos começaram a se fechar.

– Estou morrendo, Paelen – ele falou suavemente. – Eu as dou a você, agora é o novo mestre delas. As sandálias obedecerão aos seus comandos.

Com um grito final de agonia, Mercúrio fechou os olhos e ficou imóvel. Paelen não conseguia acreditar que o mensageiro estava morto. De alguma forma, os invasores Nirads tinham o poder de matar os Olímpicos mais fortes. Se Mercúrio podia morrer, todos os outros também podiam.

Ele deitou Mercúrio gentilmente no chão e lutou consigo mesmo ao se lembrar das últimas palavras do mensageiro. Uma parte dele ainda queria roubar as rédeas de Pegasus e fugir, mas a outra estava pensando se Mercúrio não tinha razão. Será que havia mais nele do que Paelen pensava? Será que ele tinha mesmo coragem de se juntar a batalha? Ele tinha sido um ladrão a vida toda; era a única coisa que sabia fazer. Paelen não tinha a força dos outros Olímpicos. Se estavam sendo derrotados pelos Nirads, que chance teria?

Paelen finalmente decidiu que fugir era sua única opção. Por que sacrificar sua vida em uma guerra que já estava perdida? Se Pegasus ainda não tivesse sucumbido à batalha, agora era a hora de agir e capturar o garanhão.

– Me desculpe, Mercúrio – disse ele tristemente –, mas você estava errado. Não sou a pessoa que pensava que eu fosse.

Ele se abaixou, removeu com cuidado as sandálias aladas do mensageiro e as colocou em seus pés, torcendo para que Mercúrio tivesse razão quanto a elas funcionarem com ele.

Paelen ouviu rugidos e grunhidos atrás de si. Seus olhos se arregalaram aterrorizados ao ver incontáveis guerreiros Nirad se aproximando. Ele nunca tinha visto um de perto. Eram enormes, tinham a pele cinza-mármore e pareciam ser duros como pedra. Cada um de seus quatro braços sacudia uma arma e seus olhos queimavam com um ódio assassino. Aquelas criaturas não tinham intenção de negociar e nem de fazer prisioneiros. Tudo o que Paelen via naqueles olhos negros como pérolas era o desejo de matar. Ao ver os invasores de perto, entendeu contra o que todos estavam lutando. Eles não tinham chance. O Olimpo estava condenado.

Ele olhou rapidamente para as sandálias.

– Voem, pelo amor de Júpiter. Voem! – gritou.

As pequenas asas começaram a bater. Ele subiu para o ar ao mesmo tempo em que os primeiros guerreiros Nirad começaram a chegar. Tomado pelo pânico, Paelen gritou:

– Vamos embora, sandálias! Não importa para onde. Voem!

As sandálias de Mercúrio obedeceram e Paelen foi carregado para longe dos furiosos Nirads, ao som de seus grunhidos raivosos por perderem sua presa.

Com o perigo imediato ficando bem para trás, Paelen olhou para a frente.

– Parem! – ordenou.

As sandálias obedeceram a sua ordem e ficaram paradas no ar. Ele olhou em volta atordoado, não acreditando na devastação abaixo, e se sentiu mal ao ver que não havia nenhuma construção intocada e nem estátuas inteiras. Os Nirads estavam destruindo tudo.

– Voem – falou finalmente. – Me levem ao Templo do Fogo. Preciso encontrar Pegasus.

Quando as sandálias o carregaram na direção do templo, os sons dos trovões de Júpiter ficaram mais intensos e flashes brilhantes iluminavam a área. A batalha ainda era feroz, mas agora havia chegado à entrada do Templo do Fogo.

Paelen viu mais Olímpicos caídos, mas não havia nenhum Nirad morto ou ferido entre aqueles corpos. Nenhum. Era como se os invasores não pudessem ser mortos, nem mesmo pelos Olímpicos mais fortes.

Ele olhou para a frente e viu fumaça subindo a distância. O Fogo no templo ainda estava aceso, mas, quando se aproximou do coração da batalha, viu Apolo e Diana agachados de costas um para o outro, cercados por Nirads. Diana usava seu arco, mas cada flecha que disparava nos invasores não causava dano algum. Apolo usava sua lança, que tinha os mesmos resultados da arma da irmã.

Um guerreiro Nirad saltou para a frente e deu uma rasteira em Apolo. Outros também avançaram e Diana lutou bravamente para salvar seu irmão gêmeo, mas foi arrastada com rapidez. Quando Paelen voou silenciosamente sobre a luta, ouviu os gritos angustiados de Diana enquanto Apolo era assassinado pelos invasores. Pegasus. Ele tinha que encontrar Pegasus. As sandálias o levaram para longe daquela cena horrível.

Mais perto do Templo do Fogo, viu Júpiter lutando e protegendo a entrada. Urrando de raiva, o líder do Olimpo lançava raios e trovões sobre os Nirads, sem nenhum resultado. Os invasores continuavam avançando firmemente, subindo os degraus de mármore.

Finalmente Paelen viu Pegasus, que estava em pé sobre as patas traseiras, dando coices nos invasores com as patas da frente. Ele estava coberto de sangue, por causa de vários cortes feitos pelos Nirads, que, com suas terríveis armas, golpeavam e tentavam dominar o poderoso garanhão. Um Nirad pulou e cravou fundo sua lança no flanco do garanhão, que se apoiava nas patas traseiras. Pegasus soltou um guincho de dor e caiu sobre as quatro patas, chutando violentamente o Nirad com seu casco dourado, mas, mesmo com o guerreiro ferido se afastando, outros chegaram para a matança, segurando suas asas e tentando arrancá-las.

Pegasus continuou lutando, mas acabou sendo dominado rapidamente. Quando outros Nirads se aproximaram e continuaram a atacá-lo, o garanhão foi derrubado, quebrando a lança que havia em seu flanco, fazendo com que ela se cravasse ainda mais fundo.

Paelen assistiu horrorizado quando Pegasus desapareceu embaixo de uma montanha de guerreiros inimigos. Não havia como escapar daquilo.

Então Diana surgiu com seu grito de guerra e, atacando os Nirads que tentavam matar Pegasus, golpeou com a lança de seu irmão e usou todas suas forças com sua dor transformada em cólera.

Um Nirad passou por ela e chegou perto da cabeça do garanhão, mas quando suas quatro mãos tocaram as rédeas de ouro, ele urrou de dor. Diana se virou para ele e o atacou com a lança de seu irmão. Diferentemente das tentativas anteriores de deter os Nirads, dessa vez a lança funcionou e ela conseguiu matar seu primeiro invasor. Com a ajuda de Diana, Pegasus se levantou. Mas aquela fora apenas uma pequena vitória em uma batalha perdida.

– Paelen!

Júpiter estava cercado por invasores Nirads, mas apontava para o templo.

– Rápido! – ele gritou. – Detenha-os!

Paelen se virou para o templo e viu outros Nirads passando pelos defensores e quase chegando ao fim dos degraus de mármore.

– Detenha-os, Paelen! – Júpiter ordenou novamente. – Eles não podem extinguir o Fogo!

Paelen sabia que, no momento em que a Chama do Olimpo se apagasse, a guerra terminaria e o Olimpo tombaria. Mas se o próprio Júpiter não conseguia deter os invasores, o que um ladrão poderia fazer?

No tempo que levou para decidir se entraria ou não na luta, a batalha foi perdida. Os guerreiros Nirad arrebentaram os portões do templo, jogaram os Olímpicos escada abaixo e entraram no templo, uivando raivosamente. Momentos depois, ouviu-se o lúgubre som do suporte do Fogo sendo derrubado. Rugidos guturais de triunfo preencheram o ar quando os invasores começaram a apagar a Chama.

Logo, mais e mais Nirads abandonaram o campo de batalha e correram pelos degraus para se juntarem à destruição. Os sobreviventes do Olimpo não podiam fazer muita coisa, a não ser assistir aterrorizados enquanto seu mundo acabava.

Paelen viu Júpiter correr até Pegasus. Segurando as rédeas do garanhão ferido, ele apontou para cima e gritou algo. Pegasus resfolegou e assentiu com a cabeça.

Momentos depois, os poucos sobreviventes se afastaram para que Pegasus pudesse abrir as asas. Com um grito, o cavalo se lançou no ar.

O coração de Paelen bateu mais forte. Aquela era a sua hora! Finalmente uma oportunidade de pegar as rédeas e controlar o garanhão voador.

– Vá atrás de Pegasus! – Paelen ordenou para suas sandálias. – Vamos pegar o garanhão!

Capítulo 3

Emily voltou ao quarto depois de terminar de coletar água. Sem energia elétrica não havia TV, rádio ou luz, e, sem ter o que fazer, se deitou na cama.

Ela sabia que não conseguiria dormir. Mesmo que a tempestade não estivesse tão barulhenta, Emily estava no limite. Gostaria de não estar sozinha. Sua mãe saberia o que fazer em situações como aquela, mas ela estava morta, e nada que a garota fizesse mudaria aquilo. Emily estava sozinha, e começou a se arrepender de não ter pedido para que tia Maureen fosse ficar com ela.

Outro flash ofuscante e a terrível explosão do trovão de um raio surgiram do lado de fora. Emily sentiu o prédio inteiro tremer. Mas havia algo mais além daquele trovão. Exatamente acima de si, Emily ouviu o som de algo muito grande e pesado atingindo o prédio.

Como ela e o pai moravam no último andar, acima havia apenas a área do terraço, que utilizavam por pagarem uma taxa extra. Lá, havia um jardim e uma horta feitos pela mãe de Emily, mas ninguém mais tinha ido até lá desde que ela ficou doente e morreu. Emily ficou preocupada com a possibilidade de um pedaço da antena do Empire State ter acertado seu prédio, ou talvez um raio tivesse caído e destruído o jardim de sua mãe.

Ela pensou se deveria ligar para o pai e perguntar o que fazer. Será que o raio começaria um incêndio e seu prédio estava prestes a se queimar inteiro? A chuva caía em rajadas fortes, mas será que conseguiria apagar o fogo, se é que havia mesmo fogo? Quanto mais perguntas e medos surgiam, mais o coração de Emily batia devagar, quase parando.

Outros sons continuaram vindo lá de cima. Era como se alguém ou algo estivesse chutando o telhado do prédio. Apontando a lanterna para o alto, Emily prendeu a respiração quando o facho de luz revelou uma grande rachadura no gesso do teto. O lustre balançava e pequenos pedaços de tinta e gesso começaram a cair.

Ela pegou o celular, mas, mesmo depois de apertar o botão de discagem rápida, desistiu e desligou. O que iria dizer ao pai? Que algo grande tinha atingido o prédio e rachado o teto de seu quarto? Talvez ele dissesse para Emily sair do prédio, mas isso significaria ir até o corredor escuro e achar o caminho para as escadas. Depois teria que descer vinte andares e sair para a rua, onde chovia sem parar.

– Melhor não, Em – disse a si mesma. – Não tem nada lá em cima. É só algo do jardim que caiu e a porta batendo com o vento.

Mas antes de conseguir se convencer de que não era nada sério, as batidas começaram novamente.

– Isso é loucura! – disse já saindo da cama. – Você não vai subir...

Era como se o seu corpo e sua mente não entrassem num acordo. Quanto mais a mente de Emily tentava fazer com que a garota desistisse, mais seu corpo mostrava determinação em investigar os estranhos sons que vinham lá do terraço do prédio.

Emily vestiu seu sobretudo para chuva, pegou as chaves do apartamento e foi até a porta. Com um pensamento tardio, mas rápido, pegou o taco de beisebol que ficava ao lado da porta por motivos de segurança.

Com apenas o facho de luz da lanterna iluminando o caminho, Emily subiu as escadas, ouvindo sons de passos e vozes de outros moradores que usavam as escadas para chegar em casa.

– Isto não é algo inteligente, Em. Tem raios lá em cima! – ela avisou a si mesma. Mas, mais uma vez, uma parte dela não estava ouvindo.

Emily chegou ao fim das escadas e encarou a porta fechada que dava acesso ao terraço do prédio. Com a lanterna em uma mão e o taco na outra, precisou se esforçar para colocar a chave na fechadura. Quando conseguiu girar, a porta se abriu um pouco. De repente, uma rajada de vento surgiu e a maçaneta escapou de sua mão. A porta se abriu com força, fazendo um som terrível quando quase foi arrancada de suas dobradiças.

– E eu querendo entrar silenciosamente... – repreendeu-se.

Emily caminhou para a chuva, que caía forte, e começou a examinar o lugar com a lanterna, procurando por algum foco de incêndio. Fazia quase um ano que ela estivera ali pela última vez. As plantas tinham crescido desordenadamente. O mato dominara o local e cobria o que antes era um belo jardim florido.

A horta estava irreconhecível. No escuro e com a tempestade no auge, aquele não era mais o jardim que Emily conhecera. Agora era apenas um lugar sombrio e assustador, cheio de mistérios e perigos.

Apesar do barulho da chuva, Emily ainda conseguia ouvir outros sons. Eram aquelas batidas novamente.

Mas agora havia mais batidas. Quando se concentrou para ouvir por cima de todo o barulho da tempestade, teve a impressão de ter escutado um lamento, ou um som semelhante a um choramingo de dor.

Andando devagar, passou o facho de luz pelo jardim. À direita dela estava o grande caminho de rosas, que tinha sido o orgulho e a alegria de sua mãe. Todos os verões, sem falta, o apartamento era preenchido com a fragrância das flores recém-colhidas que sua mãe cultivava ali. Agora as roseiras se tornaram selvagens e cresciam pelo beiral do terraço.

Um movimento repentino no meio das roseiras chamou a atenção de Emily, que redirecionou a lanterna e achou que avistara algo dourado brilhando. Ela andou mais um pouco e manteve a luz no mato. Ali! O brilho dourado novamente. Dando mais um passo nervoso, Emily levantou o taco.

– Quem quer que esteja aí, saia agora!

Quando deu mais um passo hesitante, um raio iluminou o céu e banhou todo o terraço com sua luz. O que Emily viu no jardim das rosas era algo impossível. Ela cambaleou para trás, perdeu o equilíbrio e caiu com tudo no chão.

– Não é real – disse a si mesma. Se apoiando nas mãos e joelhos, ela pegou a lanterna. – Você não viu o que acha que viu, Em. É só a tempestade mexendo com a sua cabeça. É só isso!

Ao direcionar a luz novamente para o mato, seu coração batia tão rápido que ela achou que fosse desmaiar. Cambaleando, Emily ficou em pé e avançou lentamente.

– Não é real, Em, não é real – repetia para si mesma enquanto se aproximava. – Você não viu nada! – Mas quando apontou a lanterna para o mesmo lugar, não conseguiu negar a verdade. Era bem real.

Um grande cavalo branco estava deitado de lado no jardim das rosas. O brilho que ela notara vinha de um de seus cascos. Ao prestar mais atenção, Emily prendeu a respiração. Era de ouro. Levantando a lanterna, ficou ainda mais chocada. O animal tinha asas enormes, cobertas de barro, folhas e pétalas, mas inconfundíveis com suas longas penas brancas.

– Não! – Emily gritou. – Isso é impossível!

Outro raio iluminou o terraço, confirmando o que ela tentava negar tão fortemente. Um cavalo branco com cascos dourados e enormes asas brancas estava deitado de lado no meio do jardim de rosas de sua falecida mãe.

Sem conseguir se mover e quase sem respirar, Emily observava o animal sem acreditar no que via. Enquanto olhava, as asas se moveram, seguidas de um terrível urro de dor, que fez o coração de Emily ficar apertado. O animal estava ferido e sentindo dor. Avançando sem se preocupar com os espinhos afiados que rasgavam sua pele, Emily adentrou os arbustos e começou a afastá-los do cavalo ferido.

Ela conseguiu passar pelo animal até chegar a sua cabeça, que estava caída no chão e completamente presa em roseiras, cujos espinhos penetravam na pele macia do garanhão.

Emily gritou de dor quando os espinhos perfuraram sua pele no momento em que começou a livrar a cabeça do animal daquelas roseiras cruéis. Ele estava acordado e olhava para ela com seus grandes olhos negros.

– Está tudo bem, não vou machucar você – ela falou calmamente. – Vou soltá-lo em um minuto, então talvez possa ficar em pé, se não estiver muito machucado.

Quando a maior parte da cabeça ficou livre, ele tentou se levantar, mas soltou um grito de agonia quando a asa que estava à vista se moveu.

– Pare, pare! – Emily acariciou o pescoço trêmulo do cavalo. – Não se mova. Vou tentar ver o que está errado.

Emily continuou a acariciar seu pescoço forte e quente enquanto levantava a lanterna e passava o facho de luz pelo corpo do animal. Ela via uma das asas descansando, mas não conseguia ver a outra.

– Imagino que você não tenha apenas uma asa, não é mesmo?

O animal levantou a cabeça e olhou para ela como que implorasse por ajuda.

– Não – ela suspirou. – Pelo visto não mesmo.

Emily logo livrou o cavalo das roseiras. Quando levantou a lanterna de novo, pôde ver a ponta da asa, mas ela estava em uma posição estranha, presa embaixo de todo o peso do corpo do animal.

– Sua outra asa está presa embaixo de você, mas imagino que já sabia disso.

Depois de tirar as últimas roseiras de cima do animal, ela voltou até a cabeça.

– Fiz tudo o que podia, mas precisamos tirá-lo de cima da asa. Se eu der a volta e empurrá-lo, você pode tentar se levantar?

Como que em resposta àquela pergunta, o cavalo pareceu assentir com a cabeça.

– Você está mesmo ficando louca, Em – murmurou para si mesma. – É um cavalo. Ele não entende o que está dizendo.

Ela se ajoelhou na lama escorregadia e acariciou o lado da barriga do animal.

– Certo, me desculpe, mas isso provavelmente vai doer. Quando eu começar a empurrar, quero que tente se levantar.

Apoiando as mãos firmemente nas costas do cavalo, Emily se inclinou para a frente e começou a empurrar com toda a força que tinha.

– Agora! – ela bufou. – Se levante agora!

Emily podia sentir os músculos das costas do animal se tensionando sob suas mãos enquanto ele se esforçava para se levantar.

– Isso mesmo! – Empurrando e tensionando, ela começou a sentir seus joelhos escorregando na lama. – Não pare! Você consegue!

Jogando todo o seu peso contra o cavalo, Emily sentiu o animal se mover, mas quando ele rolou para a frente, a asa presa se soltou e a acertou no rosto. Emily gritou quando foi derrubada para trás, no meio das roseiras. Deitada no jardim, os espinhos afiados fizeram grandes furos em sua calça jeans e em seu casaco e penetraram em sua pele.

Mas a dor logo foi esquecida quando as luzes dos raios revelaram o cavalo, agora em pé, olhando para ela. Apesar de estar sujo de lama, com folhas cobrindo seu corpo e emaranhadas em sua crina, e ignorando os muitos cortes e arranhões feitos pelos espinhos, Emily estava maravilhada. Ela nunca vira algo tão incrível quanto aquilo em toda a sua vida.

No momento em que descobriu o cavalo no telhado e viu suas asas, um nome surgiu em sua mente.

Uma história de um velho livro de mitologia, há muito esquecido, que sua mãe costumava ler para ela. Mas a preocupação com o animal a tinha distraído daquele pensamento, que agora tinha voltado e inundava sua mente. Saindo do meio das roseiras, Emily se aproximou. O cavalo fez o mesmo, indo em sua direção.

– É você mesmo, não? – ela sussurrou calmamente enquanto corajosamente acariciava o focinho dele. – Você é o Pegasus, não é? Quer dizer, o Pegasus de verdade.

O garanhão pareceu fazer uma pausa. Depois cutucou a mão da menina, convidando-a a fazer outro carinho em seu focinho. Naquele instante, completamente ensopada pela chuva, Emily sentiu seu mundo mudar. E para sempre.

Capítulo 4

Paelen acordou sentindo muitas dores. Parecia que suas costas estavam pegando fogo e cada músculo de seu corpo gritava em protesto.

Ele podia ouvir vozes à sua volta. Mantendo os olhos fechados, tentou imaginar o que tinha acontecido. A última coisa de que se lembrava era de finalmente ter alcançado Pegasus e esticado a mão para pegar suas rédeas douradas, tirando-as do animal e sentindo o peso delas em suas mãos. Então houve um ofuscante flash de luz... Depois tudo desapareceu.

Abrindo os olhos, Paelen descobriu que estava em uma cama, num quarto bem estranho. As paredes eram brancas, sem decoração, e o cheiro era bem diferente. À direita, havia outra cama, mas estava vazia. A tempestade continuava nervosa do lado de fora da grande janela. Paelen ficou chocado ao ver os raios brilhantes e ouvir o ribombar dos trovões. Do jeito que a batalha estava indo, ele achou que tudo já teria acabado.

Paelen deu as costas para a janela e viu coisas estranhas, com sons diferentes e luzes piscando. Acima dele havia umas bolsas transparentes com um fluido que descia por tubos que entravam em seu braço esquerdo, e aquilo o alarmou.

– Ele acordou, doutor – disse uma mulher ao lado da cama.

Paelen olhou para um homem que usava um longo jaleco branco e se aproximava da cama.

– Bem-vindo de volta à terra dos vivos, meu jovem! Sou o doutor Bernstein e você está no hospital Belleview. Por um momento achamos que iríamos perder você, pois a sua queda foi bem feia.

Paelen não disse nada quando o homem se inclinou para a frente e passou uma luz brilhante em seus olhos. Depois que acabou, o homem se endireitou e assobiou.

– Não tenho a menor ideia de como você fez isso, mas está se recuperando muito mais rápido do que qualquer um que eu já tratei. Nessa velocidade, os ossos que você quebrou estarão curados rapidamente e a queimadura em suas costas irá sarar enquanto olhamos para ela – ele apagou a luzinha e a colocou no bolso. – Pode me dizer o seu nome?

Quando Paelen abriu a boca para falar, as luzes piscaram e se enfraqueceram.

– Espero que os geradores continuem funcionando – disse a mulher enquanto olhava para as luzes. – Ouvi dizer que o blecaute é na cidade inteira, e estão dizendo que é tão ruim quanto o de setenta e sete.

Paelen entendeu as palavras, mas não o que significavam. O que era um blecaute? Setenta e sete o quê? O que significava tudo aquilo?

– Está tudo bem com os geradores, Mary – o médico respondeu e depois tocou no braço de Paelen para confortá-lo. – O hospital gastou uma fortuna para manter os geradores de emergência em bom estado. Não se preocupe, temos bastante energia elétrica e você está completamente seguro.

Paelen ia perguntar onde estava quando outra pessoa entrou no quarto. O homem, vestido todo de preto, foi até a cama.

– Sou o policial Jacobs, do décimo distrito – disse segurando um distintivo. – Me chamaram para saber mais detalhes sobre o seu enigmático paciente. Então este é o misterioso jovem que caiu do céu? – O médico e a enfermeira confirmaram com a cabeça.

– Sou o doutor Bernstein – o médico disse e esticou a mão. – Esta é a enfermeira Johnston. Sobre o paciente, bom, ainda não sei seu nome, ia perguntar isso agora.

O policial Jacobs abriu seu caderninho.

– Me permita – então se virou para Paelen. – Então, meu jovem, pode nos dizer seu nome?

Respirando fundo, Paelen levantou a mão fazendo o floreio e se curvou o melhor que pode, mesmo estando na cama.

– Sou Paelen, o Grandioso, ao seu dispor.

– Paelen, o Grandioso? – repetiu o médico, erguendo as sobrancelhas. – Está mais para Paelen, o Sortudo! – então se virou para o policial. – Este jovem foi encontrado no cruzamento da Rua 26 com a Broadway. Os paramédicos acreditam que ele estava em uma festa à fantasia, ficou perto demais da janela e foi atingido por um raio, e acham que ele pode ter caído. Temos tratado queimaduras de raio e pessoas eletrocutadas a noite toda, mas devo admitir que a maioria não teve tanta sorte.

– Você foi atingido por um raio? – o policial Jacobs perguntou.

Paelen pensou novamente na última coisa de que se lembrava e franziu a testa.

– Talvez, não tenho certeza.

O policial começou a escrever.

– Tudo bem, Paelen. Pode me dizer o seu sobrenome? De onde é e qual o seu endereço, para que possamos avisar sua família que você está aqui?

Paelen olhou para os dois homens e depois para aquele lugar estranho. De repente, seu instinto de ladrão assumiu o controle e disse a ele para não dizer mais nada sobre quem era e de onde vinha.

– Eu... eu não me lembro.

– Não se lembra? – O médico repetiu. – Bom, você realmente bateu a cabeça com força, mas tenho certeza de que a perda de memória é temporária. Talvez isso ajude... – Ele andou até o pequeno armário do outro lado do quarto, pegou uma sacola, tirou as coisas que havia dentro dela e as colocou na cama. – Quando foi encontrado, estas eram as coisas que você vestia: uma túnica pequena e um par de sandálias com asas. E segurava estas rédeas de cavalo. Foi muito difícil tirá-las de sua mão.

– Isso tudo é meu! – Paelen protestou enquanto tentava pegar as coisas. – Quero tudo de volta!

– Ei, elas parecem de ouro de verdade – disse o policial ao esticar a mão para pegar as rédeas. Sentindo o peso delas, franziu a testa. – E segurando parecem mais ainda.

– Não pode ficar com isso! – Paelen gritou enquanto arrancava as rédeas do policial. Depois estremeceu quando elas bateram em suas costelas quebradas. – Eu disse que são minhas.

– E onde as conseguiu? – o policial perguntou.

– Consegui? – ele repetiu. – Eu... eu... – ele fez uma pausa tentando pensar em como enganar aquelas pessoas. E finalmente encontrou uma solução. – Foi um presente.

– Um presente? – O policial perguntou curioso. – Está me dizendo que não se lembra de seu nome completo, nem onde mora, mas consegue se lembrar que isto foi um presente?

– Sim – Paelen disse confiante. – É isso mesmo. Foi um presente.

O policial Jacobs chegou mais perto da cama e fez uma careta.

– Bom, Paelen, quer saber o que eu acho? – sem esperar a resposta, continuou. – Não acho que isto foi um presente. Aliás, nem acredito que você caiu de uma janela; acho que foi empurrado. – Ele levantou as rédeas. – Se isto é ouro de verdade, e acho que é, então deve valer uma fortuna. Tenho certeza de que alguém da sua idade não ganharia isto de presente. Quantos anos você tem? Dezesseis? Talvez dezessete? Vou perguntar de novo: onde conseguiu isto?

Paelen não iria contar a eles quantos anos tinha ou que não tinha sido empurrado de uma janela. E, principalmente, não poderia contar a respeito das rédeas ou de onde ela tinha vindo. Em vez disso, deu de ombros.

– Não me lembro.

– Essa sua memória é muito conveniente – sugeriu o policial Jacobs. – Disse que foi um presente, mas não diz quem deu a você.

Então ele olhou para as belas sandálias com asas. Penas belas e coloridas adornavam as pequenas asas e também havia diamantes, safiras e rubis perfeitamente costurados no couro macio.

– E o que pode me falar sobre elas? Também parecem ser muito valiosas. – O policial Jacobs piscou para o doutor antes de dar uma risadinha. – Ou vai dizer que Mercúrio, o mensageiro dos deuses, deu estas sandálias para você?

– É exatamente isso – Paelen respondeu com simplicidade.

– É isso o quê? – perguntou o policial, ficando confuso de repente.

– Elas foram um presente de Mercúrio. – Paelen baixou os olhos e sentiu a garganta ficar apertada. – Ele me deu as sandálias antes de morrer.

O policial fez uma careta e sacudiu a cabeça negativamente.

– Como assim? Quem morreu? Paelen, quem deu as sandálias para você antes de morrer?

Paelen sentiu que a conversa estava indo para o caminho errado.

– Ninguém. Eu já disse que foi um presente.

– Não, você acabou de dizer que alguém morreu e sei que não foi Mercúrio. Então quem foi? E onde está agora?

– Eu me enganei – Paelen disse defensivamente. – Mercúrio não morreu. Os Nirads não estão invadindo o Olimpo e não existe uma guerra. Todos estão bem e felizes.

– Nirads? Olimpo? – repetiu o policial Jacobs. – Do que está falando?

Paelen percebeu que falara demais.

– Eu... eu não me lembro. Minha cabeça está doendo... – Ele ficou agradecido quando o doutor Bernstein interrompeu.

– Acho que por hoje chega, policial. Este jovem claramente passou por algo terrível. É melhor a gente deixar que descanse.

O policial manteve os olhos aguçados em Paelen, mas finalmente concordou com a cabeça.

– Está bem, hoje pararemos por aqui – disse, colocando as rédeas, sandálias e toga de volta na sacola do hospital –, mas, enquanto isso, acho que ficarei com estas coisas até descobrirmos quem é o dono delas.

Paelen começou a entrar em pânico. Ele lutara muito para pegar as rédeas de Pegasus e não queria que aquele homem ficasse com elas. Depois de tirar as cobertas, tentou se levantar, mas os pesados gessos em suas pernas o impediram.

– Por favor, essas coisas são minhas. Não pode ficar com elas.

– Se acalme, Paelen! – O doutor Bernstein gentilmente o deitou novamente no travesseiro. – Você não pode andar; suas duas pernas estão quebradas e quase todas as suas costelas também. Precisa descansar. O policial Jacobs não vai levar suas coisas para longe, apenas as manterá a salvo até que possamos descobrir a quem elas pertencem.

– Mas elas pertencem a mim! – Paelen insistiu.

– Doutor?

Outra enfermeira entrou no quarto segurando o prontuário do paciente com as mãos trêmulas. As cores tinham sumido de seu rosto e ela parecia estar muito assustada ao olhar para Paelen. Com a voz trêmula, falou:

– Os resultados do exame de sangue do paciente acabaram de chegar.

Ela entregou o prontuário como se estivesse queimando suas mãos. Sem esperar por uma resposta, lançou um último olhar para Paelen e saiu rapidamente do quarto.

Chocado com o estranho comportamento da moça, doutor Bernstein abriu o prontuário e começou a olhar os resultados. Sua expressão mudou quando seus olhos foram dos exames para Paelen e depois de volta aos exames.

– O que foi? – o policial perguntou.

Sem responder, o doutor olhou todos os papéis, checando e rechecando os resultados. Quando terminou, fechou a pasta e se concentrou em Paelen.

– Quem, ou melhor, o que diabos é você?

Capítulo 5

Emily continuava no teto do prédio com Pegasus.

Em algum momento daquela noite que parecia interminável a tempestade terminou abruptamente, do mesmo jeito que começara. A chuva parou e o céu se abriu. Com a cidade completamente às escuras por causa do blecaute, Emily pôde ver, pela primeira vez na vida, as estrelas brilhando na noite nova-iorquina. Ela olhou para a Broadway e ouviu o estranho silêncio. Havia alguns carros na grande avenida, mas nada demais. Apenas buzinas e sirenes de polícia ocasionais quebravam a paralisia da cidade.

Pegasus estava parado bem perto, enquanto ela observava o mundo lá embaixo, com a mão fazendo carinho no pescoço dele de forma automática.

– Está tão estranho lá embaixo – ela disse suavemente. – Parece que somos os únicos sobreviventes na cidade toda.

Olhando para o garanhão, Emily ainda não conseguia acreditar no que via. Mesmo o fato de poder encostar-se a ele não parecia melhorar as coisas. Era pedir demais acreditar que o verdadeiro Pegasus estava ali em Nova York, ao lado dela, no terraço do prédio onde morava.

Mas foi quando o sol começou a nascer que ela finalmente pôde ver o animal com clareza. A chuva tinha limpado quase toda a lama de seu pelo, que estava branco de novo. Dando a volta nele, viu que a asa esquerda estava solta em um ângulo estranho. Mesmo sem saber nada sobre cavalos, ou pássaros, naquele caso, ela soube imediatamente que a asa tinha quebrado feio.

Emily ficou surpresa ao encontrar, na parte de baixo do lombo do cavalo, uma queimadura que não tinha percebido antes. Dava para ver o pelo queimado e o ferimento aberto.

– Você foi atingido por um raio?

Pegasus virou a cabeça para ela. Quando Emily olhou em seus olhos negros e inteligentes, sentiu que ele a entendia. Mas não houve resposta.

– Bom, deve ter sido um raio, considerando quanto a tempestade estava ruim na noite passada. – Ela suspirou antes de continuar. – Pobrezinho, deve ter doído muito.

Quando a luz do dia aumentou de intensidade, outra olhada no corpo revelou que o que Emily achara ser lama do jardim de rosas cobrindo o corpo do cavalo era, na verdade, sangue. Muito sangue. Dando a volta no animal, Emily logo descobriu que a maioria dos ferimentos em Pegasus não fora causada por um raio ou pelos espinhos das roseiras.

– Você lutou com alguém! – disse alto enquanto examinava com atenção os talhos profundos nas costas e pernas do cavalo. – Quem era? Quem queria ferir você?

Pegasus não respondeu. Em vez disso, estendeu sua asa boa, convidando Emily a olhar embaixo dela. Ao fazer isso, ela ficou sem ar. Escondida embaixo da dobra da asa estava a ponta quebrada de uma lança; havia outra cravada no flanco traseiro do cavalo.

– Enfiaram uma lança em você!

Com as mãos trêmulas, Emily sentiu a região em volta do ferimento da lança.

– Está cravada bem fundo... – ela falou. – Preciso fazer algo. Talvez chamar um veterinário.

Pegasus relinchou e sacudiu a cabeça veementemente de forma negativa. Emily não precisava falar a língua dele para entender que o cavalo não queria que ela falasse com ninguém.

– Mas você está ferido! – ela insistiu. – Eu não sei o que posso fazer para ajudar.

Mais uma vez Pegasus bufou, arranhou o chão com a pata e fez que não com a cabeça. Depois se virou para ela e acariciou sua mão. Emily acariciou seu focinho macio e depois encostou sua testa nele. Tinha sido uma noite interminável e a exaustão estava tomando conta dela.

– Você precisa de ajuda, Pegasus – ela disse calmamente. – Mais do que eu posso dar.

À leste, o sol finalmente surgiu acima do alto prédio. Sua luz brilhou dourada no jardim do último andar e bateu no rosto cansado de Emily, causando nela uma sensação boa, mas também a fez perceber que qualquer um que estivesse em um prédio mais alto que o dela conseguiria ver Pegasus ali.

– Temos que esconder você – ela avisou. – Se alguém o vir, podem chamar pessoas que o levariam embora.

Pegasus rapidamente fez que não com a cabeça, resfolegou e começou a arranhar o chão novamente com sua pata.

– Não se preocupe, não deixarei que isso aconteça! – Emily prometeu. – Só temos que achar um lugar para esconder você até que sua asa fique boa.

O primeiro pensamento de Emily foi o de levar Pegasus para o apartamento, assim seu pai voltaria e poderia ajudar a decidir o que fazer, mas ela logo desistiu daquela ideia. Mesmo que o elevador de carga fosse até o terraço do prédio, não estaria funcionando sem energia elétrica e as escadas não eram uma boa opção. Se iria esconder Pegasus, teria que ser lá mesmo. Os olhos dela, então, encontraram o barracão de jardinagem da mãe.

– Vai ter que servir. Sei que provavelmente não é o que você está acostumado, mas é o que temos no momento.

Com Pegasus a observando pacientemente, Emily logo esvaziou o barracão dos acessórios e suprimentos de jardinagem. Quando terminou, ficou surpresa com o tanto de espaço que havia lá dentro.

– Bom, não é chique – ela falou enquanto limpava a terra das mãos e convidava Pegasus para entrar –, mas pelo menos o esconderá até pensarmos em algo. Tudo bem para você? – Pegasus começou a andar e entrou no barracão.

Com o primeiro problema resolvido, Emily colocou as mãos na cintura e olhou para o garanhão.

– Agora precisamos limpar seus ferimentos. Não podemos deixar que infeccionem. Me espere aqui que vou descer até o apartamento e pegar água e panos limpos.

Quando ela começou a sair, o cavalo a seguiu. Emily fez que não com a cabeça e sorriu.

– Você precisa ficar aqui, Pegasus. Não vai conseguir descer as escadas e o elevador não está funcionando. Prometo que volto logo.

Quando chegou ao apartamento, Emily correu para o banheiro e, ao ver seu reflexo no espelho ficou chocada. Ela estava terrível, com folhas e pétalas de rosa emaranhadas em seus cabelos e com o rosto e braços cobertos por lama seca e sangue por causa dos espinhos. Mas o que mais a surpreendeu foi o olho roxo. Ao encostar de leve na região, percebeu que todo o lado direito de seu rosto estava machucado e dolorido por causa da pancada da asa de Pegasus.

– Que ótimo... – ela murmurou para si mesma. – Como vou explicar isso ao papai?

Emily decidiu que era melhor se preocupar com aquilo mais tarde. Então abriu o armarinho de remédios, que estava cheio de cremes medicinais que eles tinham usado para cuidar das feridas de sua mãe quando a doença a tinha confinado à cama. Nem ela, nem seu pai tinham tido coragem de jogar aquelas coisas fora. Ela ficou agradecida por isso.

Pegando tudo o que conseguia carregar, Emily foi para a cozinha e juntou panos limpos, desinfetante e uma das panelas grandes com água. Ao guardar tudo em sacolas, percebeu uma poça de água no chão em frente à geladeira. Sem energia elétrica, o congelador tinha começado a descongelar. Ela abriu a porta e viu dois potes de sorvete junto com saquinhos de vegetais congelados. De repente percebeu que estava morrendo de fome, pois não tinha comido nada desde o almoço do dia anterior. Emily pegou um dos potes, uma colher e colocou em sua sacola de suprimentos para levar ao terraço. Depois pensou em levar algumas cenouras, vagens e maçãs para Pegasus. Por último pegou a lanterna e voltou ao terraço do prédio.

O sol estava cada vez mais alto no céu, mas quando saiu para o terraço, Emily continuou achando a cidade enervantemente silenciosa. Era quarta-feira e normalmente os caminhões de lixo saíam cedo e faziam o máximo de barulho possível. Mas não naquele dia. Ela imaginou que, por causa do apagão, eles teriam folga. Também assumiu que sua escola estaria fechada. Mesmo se não estivesse ela não iria à aula, pois Pegasus precisava dela e a escola não. – Voltei – ela falou ao caminhar até o barracão do jardim. Uma parte dela esperava não encontrar nada lá, como se tudo o que tinha acontecido fosse parte de um sonho estranho. Mas, quando se aproximou, ouviu o som de cascos se mexendo lá dentro. Pegasus colocou sua cabeça branca para fora e relinchou suavemente para ela.

– Falei que não ia demorar – Emily disse enquanto começava a tirar as coisas das sacolas. – Certo, trouxe água, antisséptico e uns cremes medicinais que usávamos para tratar as feridas da minha mãe. Na embalagem está escrito que também servem para queimaduras, por isso acho que vai ajudar você.

Pegasus ficou olhando para as sacolas enquanto ela as esvaziava. Emily riu quando a longa crina dele fez cócegas em seu rosto. Ele logo achou o pote de sorvete e o tirou de uma das sacolas.

– Ei, isso é meu! – Emily reclamou, tentando pegar o pote. – Trouxe maçãs e vegetais para você.

Mas o cavalo a ignorou, colocou o pote no chão, o segurou com as patas e arrancou a tampa com seus dentes poderosos. Logo sua língua comprida estava lambendo o sorvete de chocolate já meio derretido.

– Não sei se você deveria comer isso – Emily alertou. – Chocolate não faz bem para os cães e talvez isso valha também para os cavalos.

Pegasus parou e olhou para Emily. Sua expressão mostrava que não tinha se importado de ser chamado de cavalo.

– Olha, me desculpe – Emily falou. – Só não quero que você fique doente, afinal, já tem problemas demais.

Pegasus ficou olhando para ela por mais um tempo antes de voltar a atacar o sorvete.

– Está bem, fique à vontade – disse enquanto abria uma cadeira de praia e se sentava para comer as frutas e os vegetais que Pegasus não quis.

Durante a manhã, Emily fez o que pôde para limpar e tratar os muitos ferimentos de Pegasus. Enquanto cuidava do pescoço dele, seu celular tocou.

– Oi, pai! – disse depois de olhar o visor do celular.

– Oi, filhota! Você está bem?

Emily olhou para os cortes em seus braços e depois para Pegasus.

– Sim, está tudo bem. Você não vai acreditar no que aconteceu ontem à noite. Houve um barulho enorme no teto do prédio e...

Antes que pudesse continuar, Pegasus a cutucou e bateu no chão com seu casco. Depois fez que não com a cabeça e bufou. Emily entendeu que seu novo amigo não queria que ela contasse sobre ele.

– O que aconteceu? – o pai perguntou. – Aconteceu algo, Emily?

– Hã, não, pai. Foi só o barracão do jardim. O vento o derrubou. Mas está tudo bem por aqui, a não ser pela falta de luz. E você, como está?

O pai dela suspirou.

– Estou com muito trabalho, por isso demorarei para voltar para casa. Estou no hospital Belleview tentando fazer um relatório sobre um garoto que caiu de uma janela. As coisas passaram de estranhas para inacreditáveis.

Emily estava olhando para Pegasus, que ainda a observava com atenção, como se estivesse ouvindo cada palavra que ela dizia.

– Ainda está na linha, Em? – o pai perguntou.

– Claro, pai – ela respondeu rapidamente. – Me desculpe, o que tem de estranho no garoto?

– Não posso falar disso agora. Conto quando voltar para casa, que será perto da hora do jantar. Fique tranquila.

– Pode deixar – ela prometeu.

Depois que desligou, Emily olhou de novo para o cavalo.

– Você não queria que eu contasse nada ao meu pai, né?

Pegasus fez que não com a cabeça e resfolegou. Mais uma vez, Emily teve a estranha sensação de que ele entendia exatamente o que estava dizendo.

– Mas não entendo. Meu pai é uma ótima pessoa. Ele é policial e poderia ajudar você. E jamais o machucaria ou o entregaria.

Pegasus fez que não com a cabeça e bateu o casco.

– Gostaria que você pudesse me dizer qual é o problema – Emily suspirou. – Bom, se não quer que meu pai saiba, não contarei nada, mas preciso de ajuda. Não consigo tirar a lança sozinha e sua asa precisa ser colocada no lugar. Não tenho força suficiente para fazer essas coisas.

Pegasus moveu a cabeça para mais perto de Emily e gentilmente fez um carinho em sua mão. Ela deitou em seu robusto pescoço enquanto tentava pensar no que fazer.

Finalmente outra pessoa passou por sua cabeça. Alguém de sua escola que seria forte o suficiente para tirar a lança e que estava sempre desenhando cavalos alados em seus cadernos. O problema é que ele era o pior garoto da classe de Emily e provavelmente o pior da escola.

Joel DeSilva tinha entrado na classe dela havia apenas dois meses, mas já tinha se metido em várias brigas, não conversava com ninguém e não tinha nenhum amigo. A maioria dos meninos da classe morria de medo dele e por isso o deixava em paz. Joel DeSilva era a última pessoa no mundo com a qual Emily gostaria de falar, mas era o único em que ela conseguia pensar.

– Pegs, acho que conheço um garoto que você me deixará chamar – Emily falou. – Ele é da minha classe, se chama Joel, é um pouco mais velho do que eu, mas é bem grande e forte. E sei que adora você, pois sempre te desenha nos cadernos e livros. Os professores gritam e reclamam, mas ele não liga. A casa dele é em frente à escola, então eu poderia pedir que viesse nos ajudar. Pode me deixar fazer isso, por favor?

O cavalo considerou as palavras dela e depois relinchou suavemente.

– Obrigada – Emily falou, dando tapinhas carinhosos nele. – Se for agora, acho que volto logo. Com a ajuda de Joel, podemos tirar a lança de você e cuidar de sua asa.

Ela pegou o celular e se afastou um pouco.

– Vou tirar uma foto sua, assim será mais fácil convencer o Joel de que você está mesmo aqui. – Ela tirou a foto, garantindo que a asa aparecesse nela.

– Perfeito. Estou indo. Tem mais água para você beber e ainda sobraram umas cenouras e vagens, se ficar com fome. Não devo demorar, mas, se por acaso isso acontecer, continue escondido no barracão, por favor. Não quero que ninguém veja você e o leve para longe de mim.

Emily pensou se deveria trancar o barracão, mas achou melhor não. Se Pegasus ficasse assustado poderia arrebentar a porta ou até destruir o barracão, e assim não haveria mais lugar para escondê-lo. Ela achou melhor deixar a porta aberta e torcer para que o garanhão permanecesse lá dentro.

– Volto logo – ela disse ao ligar a lanterna e descer as escadas.

Emily ficou surpresa ao ver quantas pessoas estavam usando as escadas. Algumas tinham lanternas como ela, outras usavam isqueiros ou velas. Todos pareciam estar animados. Vizinhos que nunca falavam uns com os outros riam e conversavam enquanto desciam ou subiam vagarosamente as escadas.

Demorou bastante para que ela chegasse lá embaixo, mas quando chegou ao saguão, Emily percebeu que descer tinha sido muito mais fácil do que seria subir na volta. Ela esperava pelo menos conseguir trazer Joel consigo.

Quando saiu, Emily foi atingida pelo estranho silêncio da cidade. Havia pessoas nas calçadas, mas pouco tráfego. Todas as lojas estavam fechadas. Era como se fosse um feriado estranho.

Emily ignorou os olhares das pessoas que passavam. Ela tinha se esquecido de pentear o cabelo e até mesmo de lavar o rosto e sabia que devia estar com uma aparência pior que a de Pegasus. A jornada parecia interminável, mas, quando chegou à esquina da Rua 21 com a Segunda Avenida, olhou para a linha de tijolos marrons que ficavam diante da escola e ficou imaginando qual seria a casa de Joel.

Ela pensou em chamar o nome dele e torcer para que alguém ouvisse e dissesse onde ele morava, mas, ao descer a rua, viu um menino forte sentado em frente a uma das casas. Seus ombros largos estavam curvados e sua cabeça, com seus cabelos pretos e ondulados, estava abaixada. Ao se aproximar, ela ficou feliz em ver que era Joel, mas logo começou a ficar nervosa.

Emily não sabia bem como deveria falar com ele, pois sua expressão era tão ameaçadora quanto a tempestade da noite anterior. Ela respirou fundo e subiu os poucos degraus que levavam à entrada da casa.

– Oi, Joel.

Ele a olhou de cima a baixo.

– Sou Emily Jacobs – ela continuou. – Fazemos algumas matérias juntos, como Matemática. – Seu comentário recebeu apenas um olhar vazio em troca.

– Que tempestade maluca foi aquela de ontem a noite, hein? – Emily falou com uma animação forçada. – Vi um raio atingir o Empire State e destruir o topo! Ele causou mais estragos que o King Kong!

Joel olhou para ela sem nenhuma expressão. Então, finalmente quebrou o silêncio:

– Sai daqui.

Naquele momento, ao ver o rosto pouco amistoso dele e sua raiva, ir embora era tudo o que ela mais queria no mundo, mas pensar na lança cravada em Pegasus fez com que seus pés continuassem firmes ali.

– Olha Joel, sei que nunca nos falamos antes, mas eu preciso muito de sua ajuda...

Os olhos negros dele faiscaram.

– Você é surda ou só muito idiota? Falei para ir embora!

– Adoraria fazer isso, mas não posso – Emily respondeu desesperada. – Aconteceu algo na noite passada e você é a única pessoa que consegui pensar que poderia ajudar. Por favor, apenas escute o que tenho para dizer. Se ainda achar que devo ir embora, então eu vou.

– O que você quer? – ele perguntou. – O que é tão importante para que você venha aqui e fique me perturbando? Você já se olhou no espelho hoje? Está terrível.

Emily ficou brava. A dor que sentia em seu olho inchado e nos arranhões diziam a ela qual era sua aparência, mas sabia que Pegasus era sua prioridade. Ele era mais importante do que o seu orgulho.

– Quer mesmo saber o que é tão importante? – ela retrucou. – Por que eu viria aqui falar com você quando sei muito bem que odeia todo mundo? Por causa do Pegasus. Ele é o que é tão importante!

A expressão de Joel se alterou por apenas um instante e Emily pôde ver um sinal de interesse, mas rapidamente o véu da raiva voltou mais forte do que nunca.

– E o que é que tem ele? – Joel perguntou desafiador.

Emily chegou mais perto do brigão.

– Já vi os desenhos que fez em seus cadernos e livros. Você só desenha ele.

– E daí?

Emily olhou para o céu sem saber o que fazer. Será que ela devia contar o segredo para ele? Será que tinha escolha?

– E se ele existisse de verdade? – ela começou a dizer. – E se existisse e estivesse ferido, você iria querer ajudar ele?

A raiva surgiu novamente nos olhos marrons-chocolate do garoto. Joel se levantou e se inclinou para ela.

– Que tipo de pergunta imbecil é essa? Está tirando um barato de mim porque gosto do Pegasus? Se estiver, juro que vai apanhar!

– Não estou fazendo piada! – Emily respondeu rapidamente e com raiva. – Joel, me ouça, por favor...

Ela colocou a mão no bolso e pegou o celular, abriu e mostrou a foto do cavalo alado.

– Pode não acreditar no que vou dizer, mas na noite passada o Pegasus, o verdadeiro, com asas e tudo, foi atingido por um raio e caiu no teto do meu prédio. Ele está lá agora e está bem machucado. Fiz tudo o que podia, mas uma de suas asas está quebrada e eu não sei o que fazer. Se realmente se importa com ele como imagino, venha comigo e o ajude!

As mãos de Emily tremiam muito, não deixando Joel ver a foto na pequena tela, por isso ele tomou o celular dela.

– Ele caiu nas roseiras da minha mãe, por isso estou assim suja. E quando tentei ajudá-lo a se levantar, sua asa quebrada bateu no meu rosto e fiquei com este olho roxo.

De repente a exaustão da longa noite passada a atingiu e ela se sentou.

– Por favor! – ela implorou. – Ele está sentindo muitas dores e não sei o que fazer para ajudar.

Joel ainda segurava o celular quando se sentou devagar ao lado dela.

– Continue, estou ouvindo.

– O Pegasus está ferido. Muito mesmo – Emily explicou, aliviada por Joel finalmente estar ouvindo. – Ele esteve em algum tipo de batalha terrível e não consegue me contar por que ou com quem, mas está com vários cortes pelo corpo e ainda há uma enorme lança cravada nele. Não tenho força para arrancá-la de lá, por isso pensei em você.

– E por quê? Só porque sou grande e forte? – Joel a desafiou, ficando com raiva e na defensiva novamente. – Um italiano grande e burro?

Emily fez que não com a cabeça.

– Não, é claro que não! Ouça o que estou dizendo. O Pegasus está ferido! Vim aqui porque pensei que você se importava e não iria querer que ele fosse capturado.

Joel hesitou. Havia agora uma crescente expressão de dúvida em seu rosto.

– Como vou saber que não é um golpe? Ou algum tipo de piada malvada?

Emily sacudiu a cabeça novamente e se levantou.

– Olha só pra mim – Ela falou cansada. – Está parecendo que estou brincando? Este olho roxo parece maquiagem? Acha que fiz todos estes cortes em uma roseira só pra vir aqui encher você? Não é uma piada, Joel; juro pela alma da minha mãe! O Pegasus precisa de nossa ajuda!

Joel ficou em silêncio por tanto tempo que Emily quase desistiu. Começando a descer as escadas, ela se virou para ele.

– Não posso deixar Pegasus sozinho por muito tempo. A pergunta é simples: você vem ou não?

Joel olhou para Emily, depois para as portas atrás dele e para ela de novo. Finalmente começou a descer as escadas.

– Certo, eu vou.

Quando chegou à calçada, ele parou ao lado dela e alertou:

– Mas se isso for uma piada, não ligo se você é menina; juro que arrancarei sua cabeça fora!

Capítulo 6

Joel e Emily mal conversaram enquanto voltavam ao prédio de esquina onde ela morava. Quando chegaram, Joel parou em frente à porta do saguão.

– Qual a altura do prédio? – perguntou olhando para cima.

– Vinte andares – ela falou. – Moro no último andar e o Pegasus está no terraço do prédio.

– Quê? Vinte andares? – Joel reclamou. – Quer que eu suba vinte andares de escada?

– Já falei que o Pegasus está no terraço do prédio.

Quando ele hesitou, Emily suspirou.

– Olha, você já veio até aqui. Vai embora só porque precisa subir umas escadas?

– Vinte andares não são apenas umas escadas! – ele reclamou. – É uma maratona!

Cansada demais para brigar, Emily sacudiu a cabeça negativamente.

– Tudo bem, Joel, pode ir embora. Acho que me enganei quando achei que você gostava do Pegasus. Só me faça um favor. Fique com a boca fechada. Pode não acreditar que ele está aqui, mas talvez outras pessoas acreditem.

Emily não disse mais nada, pegou sua lanterna e entrou no saguão, indo em direção às escadas. Quando abriu a pesada porta de metal, ouviu passos atrás dela; se virou e viu Joel.

– Ainda são vinte lances de escada – ela alertou.

Joel deu de ombros.

– Eu sei, mas não tenho nada melhor pra fazer mesmo.

Subir os primeiros cinco andares foi fácil. Chegar até o décimo foi cansativo. No décimo quinto andar, Emily e Joel estavam sem ar e se sentindo enjoados. Eles resolveram descansar e se sentaram na escada.

– Não achei que seria tão difícil – Emily ofegou. – Achei que ir a pé para a escola já era exercício suficiente, mas, pelo visto, estou bem fora de forma.

– Eu também – Joel respondeu entre uma respiração e outra. – Eu morava em Connecticut e jogava futebol americano na escola, mas isso já faz tempo.

Sob a luz fraca da lanterna, Emily olhou para ele.

– Então você é de Connecticut?

Joel fez que não com a cabeça.

– Sou de Roma, na Itália, sabe? Mas meu pai arranjou emprego nas Nações Unidas quando eu era pequeno, então nos mudamos para os Estados Unidos e arranjamos uma casa em Connecticut. Meus pais viajavam até aqui todos os dias para trabalhar.

Emily estava surpresa. Joel não parecia ter sotaque nenhum. Ela jamais adivinharia que ele era estrangeiro. Desde que entrara em sua classe, ela nunca soube nada dele, apenas que era um criador de casos.

– E agora você se mudou para a cidade grande e vive naquelas casas de tijolinhos?

– Não exatamente... – ele começou a falar e depois parou. De repente seu humor mudou e ele ficou em pé abruptamente. – Não quero mais falar sobre isso! Vamos subir ou não? – Sem esperar por ela, Joel adentrou a escuridão da escada e subiu.

Os últimos cinco andares foram percorridos em silêncio. Quando chegaram ao fim das escadas, Emily pegou em seu bolso a chave da porta do terraço e foi para o lado de Joel.

– Ele sabe que você está vindo, mas acho que não ficou muito feliz com isso, então vá com calma. Pode ficar bravo comigo quanto quiser, mas não quero que grite com ele. Entendeu?

– Eu não gritei com você – Joel desafiou.

– Tá, o que quer que tenha sido aquilo então – ela respondeu enquanto colocava a chave e abria a porta. – Não quero que faça o mesmo com Pegasus. Ele está machucado e com dores. É bom ser simpático com ele ou juro que vou empurrar você lá de cima.

Joel ficou surpreso com a repentina mudança nela.

– Se ele estiver mesmo aí, prometo que não farei nada de errado.

– Ah, mas ele está aqui sim.

Emily abriu a porta e adentrou o terraço do prédio.

– Ele está naquele barracão. Ainda está aqui, Pegs? – ela chamou.

Um relincho suave veio do barracão. A expressão de Joel mudou de dúvida para admiração.

– Não se esqueça – Emily levantou um dedo ameaçador –, é bom ser simpático ou aprender rapidamente a voar!

Ela o levou até o barracão.

– Sentiu minha falta? – ela perguntou a Pegasus quando ele foi recebê-la. Emily também se aproximou e começou a acariciar o alvo rosto macio do animal. Tudo o que ela ouviu de Joel foi uma respiração rápida. Ao se virar, viu a expressão de incredulidade do garoto.

– Pegasus, quero que conheça o Joel – ela gesticulou para que ele se aproximasse. – Joel, este é Pegasus.

Joel entrou no barracão e ficou parado um minuto inteiro diante do garanhão antes de conseguir se mover ou falar. Por fim, acabou sacudindo a cabeça e levantando a mão numa tentativa de fazer carinho na cabeça de Pegasus.

– Não acredito que o Pegasus é real e está mesmo aqui! – Os olhos dele brilhavam.

Emily assistia a espessa armadura de raiva de Joel se derreter.

– Ele é real, mas também está muito machucado. – Ela lhe mostrou a asa quebrada. – Isto precisa ser consertado, mas não sei como.

Depois ela o levou para o outro lado.

– Pegs? – disse ela suavemente. – Pode levantar sua asa boa para que eu mostre a lança para o Joel? Ele vai me ajudar a retirá-la de você.

Sem hesitar, o cavalo levantou sua asa, revelando vários centímetros de uma lança quebrada saindo de sua lateral.

– Oh, meu Deus! – Joel exclamou ao examinar a coisa. – Quem fez isso com ele?

Emily deu de ombros.

– Não faço ideia. Só sei que ele precisa de nossa ajuda antes que alguém o encontre e o leve embora.

Enquanto falava, Emily começou a franzir a testa. Parecia que vários dos cortes profundos e arranhões estavam muito menores do que antes. Um exame mais minucioso mostrou que a queimadura do raio também diminuíra e estava quase cicatrizada. E os arranhões dos espinhos tinham desaparecido.

– Você está se curando muito rápido! – Emily ofegou, depois olhou para Joel. – Hoje de manhã os cortes eram muito mais profundos. Está vendo estes arranhões em mim? Os dele eram dez vezes piores, mas todas as marcas de espinho sumiram.

– Isso não me surpreende – disse Joel enquanto examinava a lateral do cavalo. – Pegasus é um Olímpico. Ele é imortal, então é óbvio que vai se curar muito rápido.

– E o que ser um Olímpico tem a ver com isso? Ele ainda é um ser vivo como eu e você, e com certeza não nos curamos assim tão rápido!

– Sim, ele é um ser vivo – Joel começou a responder –, mas também é muito diferente de nós. Se me perguntasse antes, eu nem acharia que ele pudesse ser ferido.

– Se eu tivesse perguntado antes, você arrancaria a minha cabeça fora.

Joel fez uma careta e retrucou:

– Não faria isso não.

Emily deixou aquele assunto para lá antes que uma nova discussão começasse. Joel tinha o pavio curto e qualquer provocação o acendia.

– Bom, Olímpico ou não, temos que tirar aquela lança dali e nem sei como colocar a asa dele no lugar.

Joel passou a mão pelas penas brancas e macias da asa boa do garanhão.

– Nos filmes, as pessoas apenas puxam a perna ou o braço ferido para colocar no lugar. Depois colocam uma tala e pronto.

– Mas isto não é um braço ou uma perna, é uma asa – Emily respondeu. – A maioria das asas não possui ossos ocos? Poderíamos causar mais estragos se puxássemos e arrumássemos errado.

Joel concordou com a cabeça.

– Talvez, mas também não podemos deixá-lo assim. – E, então, ele teve uma ideia. – E se observarmos bem a asa boa dele? Podemos estudá-la e ver como funciona. Assim, quando olharmos para a asa quebrada, conseguiremos ver a diferença e saberemos o que fazer. Depois poderemos tentar consertar.

– Boa ideia! – Emily concordou. – Por onde começamos? Pela asa ou pela lança?

Quem respondeu a pergunta foi Pegasus. Como se estivesse ouvindo tudo desde o começo. Ele levantou a asa boa, relinchou e bateu no chão do barracão.

Emily fez um carinho na crina dele.

– Quer que tiremos a lança primeiro?

Pegasus respondeu acariciando a mão dela.

Joel se juntou a Emily ao lado da cabeça do garanhão.

– Então acho que vamos começar pela lança – ele falou.

Emily e Joel desceram até o apartamento para pegar mais coisas. Ele olhou em volta e assobiou.

– O seu apartamento é bem mais legal que o lixo onde moro! É só você e seus pais?

– Minha mãe morreu de câncer há três meses. Agora sou só eu e meu pai. – Emily sentiu um nó conhecido surgir em sua garganta. Respirando fundo, ela se forçou a parar, antes que as lágrimas viessem. – E a sua casa? Sempre ouvi dizer que aquelas casas de tijolinhos são muito espaçosas e você ainda tem um quintal.

Joel negou com a cabeça.

– Não onde moro. Nossa casinha é pequena e está caindo aos pedaços. O encanamento não funciona e a pintura está descascando.

Emily pegou o último creme medicinal e o antisséptico do gabinete dos remédios.

– Sua mãe ensinou você a costurar? – Joel perguntou.

– Costurar? Por quê?

– Porque quando tirarmos a lança de Pegasus ele vai sangrar. Precisaremos costurar o ferimento para estancar o sangue e ele começar a cicatrizar.

– Você quer que eu costure o ferimento do Pegasus?

– Tem alguma ideia melhor? – ele perguntou.

– Tenho – Emily respondeu. – Supercola. Às vezes os médicos usam cola em vez dos pontos em microcirurgias. Aliás, eles usaram isso em uma das cirurgias da minha mãe. Depois que contaram ao meu pai, ele fez um estoque de emergência aqui em casa.

Joel fez uma careta.

– Jura? Cola?

Emily confirmou e foi até a cozinha para pegar a cola e a guardou na sacola de suprimentos. Depois abriu o refrigerador e pegou o último pote de sorvete.

– Ofereci vegetais para o Pegasus hoje cedo, mas ele só quis comer o meu sorvete. Então pode ser que queira mais um pouco.

– O Pegasus gosta de sorvete?

Quando Emily fez que sim com a cabeça, Joel pareceu ficar envergonhado.

– Será que posso comer alguma coisa? Ainda não comi nada hoje e estou morrendo de fome.

Emily parou e olhou para ele, como se o visse pela primeira vez. Aquele Joel não tinha nada a ver com o nervosinho de mais cedo.

– É claro. Pegue o que quiser, mas vamos logo lá pra cima.

Eles voltaram ao terraço e tiraram as coisas da sacola. Emily tinha razão; assim que Pegasus sentiu o cheiro do sorvete, foi direto para o pote. Quando acabou, roubou a caixa de cereal que era o café da manhã de Joel.

– Ei – Joel protestou –, isso é meu! Você tem sua própria comida!

– Não acho que ele goste de coisas saudáveis – Emily falou. – Olha só, ele nem encostou nas maçãs que deixei aqui. E nem nos vegetais. Ele só quer as coisas doces.

– Bom, mas podia pelo menos ter deixado um pouco para mim... – Joel reclamou. – Todo aquele açúcar não deve fazer bem para ele. Não é como se ele estivesse lá no Olimpo... – De repente Joel estalou os dedos. – Mas é claro, agora estou entendendo! Faz todo sentido!

– O que faz sentido?

– Ainda não entendeu? O Pegasus precisa de comidas doces. É só isso que ele come no Olimpo!

– Como você sabe? – Emily quis saber.

– Porque já li tudo a respeito – Joel respondeu, parecendo cada vez mais animado. – Os livros de mitologia romana são os meus preferidos! Todas as lendas dizem que, no Olimpo, os deuses comiam ambrosia e bebiam néctar. É isso que os mantêm imortais. E é por isso que Pegasus quer doces; para ajudá-lo a se curar. Alguns dizem que a ambrosia, que é uma coisa que eles adoram, é bem parecida com o mel. Você tem mel lá na sua casa?

– Mel? – ela repetiu. – Isso é loucura, Joel; são apenas lendas. Não podemos basear o tratamento do Pegasus em velhos mitos empoeirados.

Joel sacudiu a cabeça afirmativamente.

– Ah, podemos sim. O Pegasus não é real?

Emily assentiu.

– E ele é um mito, não é verdade? – Quando ela assentiu novamente, ele continuou. – Então se ele existe, os outros devem existir também.

– Espera um minuto – Emily falou, levantando a mão. – Está me dizendo que Zeus, Hera, Poseidon e todos os outros são reais?

– Júpiter, Juno e Netuno – Joel corrigiu. – Zeus é o nome grego dele. Como sou italiano, prefiro a mitologia romana, na qual o líder do Olimpo é Júpiter.

– Zeus ou Júpiter – Emily protestou –, não interessa. Não pode estar achando que todos esses mitos são verdadeiros, né?

– Por que não? – Joel respondeu, se levantando com um pulo. – Olhe só para ele! Pegasus está bem aqui, tão real quanto eu ou você. E se ele é real, por que não os outros?

Emily também ficou em pé.

– Porque se também existirem, qual a razão de não terem vindo buscar Pegasus? Se Zeus...

– Júpiter – Joel a corrigiu.

– Tudo bem! – Emily disse já sem paciência. – Se Júpiter é real, por que não sabe que Pegasus está machucado e não vem resgatá-lo?

– Não sei – Joel admitiu. – Talvez não possa. Ou ainda não saiba. Mas sei que se não ajudarmos Pegasus, Júpiter ficará muito bravo com a gente quando chegar aqui.

– Não ligo para o Júpiter ou qualquer um dos outros – ela falou começando a pegar os suprimentos médicos. – Só me importo com o Pegasus, então vamos logo com isso.

Os dois limparam a área do ferimento próxima à lança e depois Emily se virou e disse ao cavalo:

– Me desculpe, mas isso vai doer.

Em pé ao lado dele, com uma toalha pronta, Emily ajudava a manter a pesada asa levantada. Ao seu lado, Joel segurou firme na parte da lança quebrada que estava para fora e se apoiou na lateral do garanhão. Juntos, contaram três, dois, um, agora! Usando toda a sua força e peso, Joel começou a puxar.

Pegasus fez o que pôde para não se mexer enquanto a lança saía lentamente de seu corpo.

– Rápido, Joel! – Emily falou, tentando manter o cavalo parado.

A cabeça de Pegasus estava para trás e se sacudindo no ar. Seus grandes olhos revelavam sua agonia, seus cascos da frente rasgavam o chão do barracão e seus guinchos cortavam o coração de Emily.

– Rápido! Isso está matando ele!

Com um esforço final, Joel arrancou a terrível lança dentada da lateral do garanhão e o sangue começou a jorrar do ferimento profundo.

– Faça pressão! – Joel falou ofegante e tentando se recuperar do esforço. – Temos que parar o sangramento!

Emily pegou a toalha pendurada em seu ombro e pressionou contra o ferimento, sentindo Pegasus tremer por baixo de suas mãos.

– Está tudo bem, Pegasus – ela falou carinhosamente. – Você vai ficar bem. O pior já passou; já tiramos a lança.

– Ainda não acabamos – Joel falou severamente enquanto ajudava a estancar o ferimento. – Pegue a cola, Emily. Temos que fechar isto aqui.

Com a ajuda de Joel, Emily juntou as bordas do ferimento aberto e usou a cola para mantê-lo fechado. Depois cobriram com bandagens limpas e prenderam com fita adesiva.

– Bom, não ficou bonito, mas acho que vai funcionar – Joel deu um tapinha carinhoso na lateral de Pegasus e então se virou para Emily. – Ótima ideia essa da cola. Jamais teria pensado nisso.

Emily deu de ombros.

– Fico contente por ter funcionado. Não acho que conseguiria dar pontos nele.

– Nem eu – Joel concordou. – Agora temos que dar um jeito na asa, e então ele estará a caminho da recuperação.

Já era fim de tarde quando os dois terminaram de ajeitar a asa de Pegasus. Apesar da preocupação de Emily, foi bem mais fácil do que retirar a lança. A ideia de Joel de usar a asa boa como modelo funcionou perfeitamente. Logo eles tinham colocado os ossos quebrados no lugar certo, da melhor maneira que puderam e depois prenderam uma tala com bandagens e fita adesiva para segurar tudo.

Quando terminaram, antes que pudessem comemorar o sucesso da empreitada, o telefone de Emily começou a tocar.

– É o meu pai. Ele não sabe sobre você ou o Pegs, então fique quieto!

Quando Joel concordou com a cabeça, ela atendeu o telefone.

– Oi pai!

– Em, onde você está? – ele perguntou parecendo preocupado. – Estou em casa e você não está aqui.

Emily olhou para o relógio e ficou surpresa ao ver o horário.

– Estou no terraço – explicou.

– O que está fazendo aí em cima?

Ela improvisou.

– Bom, lembra que falei que tinha ouvido um barulho aqui em cima? Queria ver os estragos que a tempestade causou ontem à noite e acabei perdendo a noção do tempo.

– Fique aí, já estou subindo.

O pânico se apoderou dela.

– Não, pai, não suba! Estou, hã, fazendo uma surpresa para você e não quero que veja ainda. Já vou descer!

Antes que o pai pudesse dizer algo, ela desligou.

– Meu pai está em casa – ela explicou. – Preciso descer até lá para que ele não venha aqui. Pode ficar com o Pegs? Prometo voltar assim que meu pai for dormir. Ele tem trabalhado dia e noite e deve estar muito cansado. Quando dormir, trarei comida para todos nós.

– Não se esqueça do mel, se tiver em casa – Joel falou enquanto ela saía. – E qualquer outra coisa com açúcar. Pegasus vai precisar para poder se curar.

– Não vou me esquecer – Emily prometeu enquanto se dirigia à entrada do terraço. Depois de ligar a lanterna, acenou para Joel antes adentrar a escadaria escura.

Enquanto descia, Emily tentou pensar no que iria dizer ao seu pai. Ela estava preocupada com o que ele faria ao ver seu olho roxo. Mas, qualquer que fosse a desculpa, sabia que não poderia falar sobre Pegasus, pois prometera a ele que não falaria e iria cumprir a promessa, mesmo sendo seu pai. Emily abriu a porta do apartamento.

– Pai?

– Estou na cozinha – ele respondeu.

Respirando fundo, Emily foi até a cozinha e viu seu pai olhando a geladeira, ainda em seu uniforme da polícia, e de costas para ela. Era quase engraçado vê-lo pegar um monte de coisas ao mesmo tempo e tentar segurar tudo nos braços.

– Mas que bagunça! – disse sem se virar para ela. – Está tudo descongelando. É melhor comermos o máximo que pudermos antes que estrague.

Depois que se virou e viu o rosto da filha, Steve derrubou tudo o que segurava. Vidros de picles e vegetais rolaram pelo chão da cozinha.

– O que aconteceu, Em? Seu olho está quase preto!

– Eu sei – ela respondeu tentando parecer casual. – Tropecei quando estava lá em cima no terraço e caí nas roseiras, e não sei como bati o olho. Para falar a verdade – ela se corrigiu –, acho que me acertei com o joelho.

Quando o pai examinou o rosto dela, assobiou ao avaliar o machucado.

– Caramba! Não vejo um olho roxo assim há muito tempo. Deve estar doendo muito!

– Um pouco – Emily admitiu. – Mas não tanto quanto os arranhões dos espinhos. – Ela levantou as mangas e mostrou os ferimentos nos braços. – Acho que as rosas ganharam o primeiro round.

– Parece que elas venceram a luta – o pai concordou. – Temos que limpar esses ferimentos.

Emily imediatamente se lembrou de que todos os cremes e bandagens tinham sido levados para o terraço para que pudessem cuidar de Pegasus.

– Está tudo bem, pai! – ela respondeu rapidamente. – Já passei remédio. Estou bem, de verdade.

– Está bem – ele respondeu meio relutante –, mas não quero mais que suba até o terraço sozinha. Pelo jeito, aquele local ficou perigoso.

– Mas pai – ela protestou –, quero fazer uma coisa especial para você. Eu... estou arrumando o jardim! Sabe quanto a mamãe amava aquele jardim; aliás, todos nós o adorávamos. Depois de tanto tempo abandonado ele virou um matagal. Deixe-me continuar, por favor. Isso está me ajudando a superar tudo.

Emily detestava ter que usar a dolorosa morte da mãe como desculpa para continuar indo lá em cima, mas não podia deixar que seu pai a proibisse de subir, principalmente porque Pegasus ainda estava lá e precisava muito de sua ajuda.

– Por favor, pai, preciso muito fazer isso!

Ele finalmente suspirou.

– Bom, pelo menos espere por mim, posso ajudar você. Depois do blecaute terei alguns dias de folga. O que acha de fazermos disso um projeto especial nosso?

Emily sabia que aquilo era o melhor que iria conseguir de seu pai.

– Seria ótimo. Mas se eu prometer não fazer nada pesado, posso pelo menos subir para ir limpando um pouco antes de começarmos o trabalho de verdade?

– Está bem – ele respondeu. – Mas só se me prometer tomar cuidado e ficar longe das beiradas.

– Prometo! – Emily mudou rápido de assunto antes que seu pai mudasse de ideia. – Então, que estão falando a respeito do blecaute?

– Que não foi nada bom – ele respondeu voltando a olhar o que tinha na geladeira. – A companhia elétrica colocou todos os funcionários para trabalhar, mas mesmo assim parece que ficaremos sem energia elétrica por dois ou três dias. – Ele fez uma pausa e olhou de novo para ela. – Sabe o que isso significa, né?

Emily fez que sim com a cabeça.

– Significa que você precisa voltar para o trabalho, certo?

– Eu ia dizer que você não terá escola por alguns dias. – Depois, relutantemente, acrescentou. – Mas sim, tenho que voltar ao trabalho. Meu turno começará à meia-noite. Só consegui sair por algumas horas porque você estava sozinha.

Emily pegou a jarra de leite do braço de seu pai.

– Então é melhor não perder tempo aqui. Vá se sentar que prepararei algo para o jantar. Depois acho que você deveria tentar dormir um pouco.

Quando seu pai sorriu, suas covinhas apareceram.

– Ei, quem é o pai aqui? – ele perguntou, rindo.

– Sou eu! – provocou Emily enquanto pegava o máximo de ingredientes que conseguia para começar a fazer a refeição.

– Está bem – ele concordou. – As últimas vinte e quatro horas foram pra lá de estranhas. – Ele suspirou profundamente enquanto se sentava à mesa da cozinha. – Tem havido saques e roubos por toda a cidade por causa do apagão e dos sistemas de segurança desligados. As pessoas estão ficando histéricas nos subúrbios. Algumas foram às delegacias alegando terem visto criaturas enormes com a pele cinza e quatro braços saindo dos esgotos. E insistiam que elas eram algum tipo de demônio e que era o fim do mundo.

– Uau! – disse ela enquanto colocava a frigideira sobre o fogão a gás. – Que coisa estranha...

– Mas isso não é o pior. Lembra que liguei para você do hospital? Estava lá para fazer um relatório sobre um garoto misterioso. Ele parecia ter sido atingido por um raio e caído de uma janela.

– Ui! Isso deve ter doído! – Emily falou ao mesmo tempo em que começou a bater alguns ovos. – Ele morreu?

– Não – o pai respondeu. – O médico disse que ele devia ter morrido. Mas não só não morreu como está se recuperando mais rápido do que qualquer um que já tenha passado por lá. Seus ossos se juntaram em tempo recorde e a queimadura em suas costas diminuía a cada minuto.

Emily parou de fazer os ovos mexidos.

– Ele está se curando bem rápido? Quem é ele?

O pai deu de ombros.

– Não sei bem. Disse que se chamava... – O pai parou, se levantou, fez uma reverência e um floreio com a mão. – "Paelen, o Grandioso, ao seu dispor!"

Emily não conseguiu segurar a risada quando seu pai repetiu o gesto formal.

– De onde ele é?

– Não tenho a menor ideia – o pai respondeu se sentando novamente. – Ele diz que não se lembra de muita coisa, mas, depois de tantos anos trabalhando como policial, reconheço uma mentira quando ouço uma. – Ele fez uma pausa como se estivesse tentando pegar algo fora de seu alcance. – É algo muito estranho,

Em. Tem alguma coisa muito errada naquele garoto, mas não consigo dizer exatamente o que é.

– Como assim?

– As pequenas coisas, sabe? O modo estranho de falar... muito formal, sabe? E também o jeito que foi achado, vestindo apenas uma túnica manchada de sangue e sandálias aladas cravejadas de joias. É óbvio que foi atingido por um raio, mas conseguiu sobreviver a isso e também à queda, e quando os paramédicos chegaram, o encontraram segurando firme umas rédeas douradas belíssimas. As sandálias e as rédeas juntas devem valer uma fortuna, mas ele se recusou a me dizer de onde veio e como conseguiu aquelas coisas.

Emily sentiu sua pulsação se acelerar. Paelen, o Grandioso? Se curava rápido? Usava túnica, sandálias e tinha rédeas com ele? Ela percebeu que aquilo tinha algo a ver com Pegasus, só não sabia exatamente o quê. Os ovos foram esquecidos e Emily se sentou à mesa ao lado do pai.

– E ele ainda está no hospital?

– Não – ele respondeu sombriamente. – Essa é outra história estranha. Quando o pessoal viu o resultado dos exames de sangue dele quase tiveram um ataque, e as coisas se complicaram a partir daí.

Uma campainha tocava nos ouvidos de Emily. Tudo o que seu pai dizia gritava Olimpo. De algum jeito havia outro Olímpico em Nova York! Ela tinha que avisar Joel o mais rápido que pudesse.

– Mas, como assim? O que aconteceu? – perguntou.

– Parece que uma das enfermeiras chamou a UCP quando viu os resultados. Um pouco depois, vários agentes chegaram ao hospital para levá-lo. Quando eu os desafiei, ligaram para o meu chefe e acabei recebendo ordens de retornar imediatamente para a delegacia e esquecer tudo. Como sempre, é aquela coisa do silêncio governamental. Não tenho a menor ideia de para onde o levaram e o que pretendem fazer com ele, mas, pelo que conheço da UCP, não gostaria de usar os sapatos daquele garoto. Ou as sandálias aladas, no caso.

Capítulo 7

Paelen estava sentado na cama de um hospital de segurança máxima. Homens de jaleco branco colocavam estranhos fios nele; vários presos em seu peito e outros em seu rosto e cabeça. Paelen tentou arrancar tudo, mas dois homens usando macacão branco correram e o seguraram pelas mãos. Quando se mostrou forte demais para os dois, outros homens vieram e abaixaram os braços de Paelen até finalmente conseguirem prendê-los com algemas nas laterais da cama.

– Onde estou? – Paelen quis saber enquanto lutava contra as algemas de aço presas em seus pulsos. – Que lugar é este? Por que me prenderam com correntes?

– Nós é que fazemos as perguntas, e não você – respondeu um dos homens de macacão. – Fique aí deitado quietinho enquanto terminamos de ligar tudo em você.

– Mas não estou entendendo! – disse Paelen enquanto olhava para as máquinas assustadoras que eram trazidas para o lado da cama. – Como assim ligar coisas em mim? O que vocês vão fazer comigo?

– Apenas relaxe – o médico respondeu. – Não vamos machucá-lo. Este equipamento nos dirá um pouco mais a seu respeito, gravando o seu ritmo cardíaco e seus impulsos cerebrais. Ele mostrará se você é muito diferente de nós.

– Mas é claro que sou diferente de vocês – Paelen falou indignado. – Vocês são humanos e eu sou Olímpico!

Os homens de macacão levantaram as sobrancelhas um para o outro.

– Olímpico, né? – um deles retrucou. – E imagino que seja o grande Zeus em pessoa?

– Se eu fosse, receberia um tratamento melhor de vocês?

O homem deu de ombros.

– Talvez.

– Então sou mesmo ele, Zeus – Paelen respondeu rapidamente. – E por isso exijo que me libertem.

– Me desculpe, Zeusinho, velho amigo, mas não vai dar – respondeu o homem depois de se certificar que as algemas estavam bem presas. – Tem várias pessoas por aqui que estão muito interessadas em falar com você. Então fique quieto e seja paciente. Elas logo estarão aqui.

Vendo que seus pedidos eram inúteis, Paelen relaxou e se acalmou. Ele não conseguia acreditar no que estava acontecendo. Tudo o que queria era pegar o Pegasus e ser livre. Livre do Olimpo, de Júpiter e todas as suas regras, dos Nirads e da guerra.

Nunca quis visitar este mundo ou se encontrar com as pessoas que vivem aqui. Quando pequeno, ouviu muitas histórias sobre o estranho povo que vivia por aqui e como eles veneravam o Olimpo, mas nunca ficou curioso a respeito deles ou tentado a visitá-los, afinal, eram apenas humanos. O que poderiam oferecer a alguém como ele? Mas, ao seguir Pegasus até ali, acabou atingido por um dos raios de Júpiter e agora estava preso.

Já tinha sido bem estranho acordar no lugar que chamavam de hospital Belleview, mas as coisas tinham ido de mal a pior quando outros homens chegaram e o levaram embora. Ele tentou resistir, mas seus ferimentos eram muito extensos. E agora estava ali, naquela pequena ilha, aguentando outros horrores.

Paelen não pôde impedir que roubassem mais de seu precioso sangue. Também cortaram pedaços de seu cabelo e apontaram luzes brilhantes para seus olhos até que não conseguisse mais enxergar. Ele foi estudado do mesmo jeito que as crianças do Olimpo estudavam os insetos que encontravam na escadaria do palácio de Júpiter. Foi furado, cortado e colocado em uma máquina que disseram que fazia uma tal de ressonância magnética.

Quando se cansaram da tortura, Paelen foi levado àquele quarto, que não tinha janelas e nenhum outro meio de escapar dele a não ser pela porta. Paelen podia sentir a terra fazendo pressão por trás das paredes, e sabia que, onde quer que estivesse, era um tipo estranho de labirinto subterrâneo e bem profundo.

Ele ficou imaginando se aquelas pessoas também tinham capturado Pegasus. Será que o garanhão incrível estaria em algum lugar por ali assim como ele? Uma parte de Paelen queria perguntar, mas a outra pensou melhor no assunto. Aquelas não eram boas pessoas e, se Pegasus não tivesse sido capturado, não seria ele que as alertaria sobre a existência dele. Era o mínimo que podia fazer depois de tudo.

Observando os homens que voavam ao seu redor como abelhas, Paelen tentou imaginar qual seria a melhor maneira de escapar, afinal, aquele sempre foi um de seus talentos no Olimpo. Não importava onde Júpiter o prendia, ele sempre dava um jeito de escapar.

Mas com aquelas coisas brancas e pesadas, chamadas gesso, em suas pernas e com os ossos quebrados e queimaduras, aquele não era o momento certo de tentar. Em vez disso, ele iria tolerar seus captores, jogar o jogo deles, provocá-los e fazer o máximo para aprender todas as suas fraquezas. Apenas quando estivesse recuperado e forte de novo é que iria tentar algo. Ele fugiria daquele local de dor e desespero e então, finalmente, capturaria Pegasus.

Capítulo 8

Emily mexeu sua comida sem conseguir comer. A história que seu pai acabara de lhe contar ainda girava em sua cabeça. Ela estava convencida de que Paelen tinha alguma coisa a ver com Pegasus. Mas Emily não tinha como saber qual era a conexão entre eles, pois o cavalo não falava e Paelen fora levado pela UCP.

Não muito depois do jantar, Steve foi para a cama descansar algumas horas antes de voltar ao trabalho. No instante em que fechou a porta do quarto, Emily correu para a cozinha e juntou comida e bebida para levar para Joel e Pegasus.

– Você não vai acreditar no que vou contar! – Emily chegou sem fôlego ao terraço. – Tem outro Olímpico em Nova York! O nome dele é Paelen e...

No momento em que Emily disse aquele nome, Pegasus começou a relinchar alto e a arranhar o assoalho do barracão.

– O que foi, Pegasus? – Ela aproximou-se rapidamente e começou a acariciar o focinho trêmulo do garanhão. – Conhece Paelen?

Pegasus bufou nervosamente, empinou se apoiando nas patas traseiras e desceu batendo com tudo no chão. Seus cascos afiados furaram a madeira, que soltou grandes farpas.

– Pare, por favor! – Emily falou alto. – Precisa se acalmar. Meu pai está dormindo no apartamento abaixo da gente. Se ouvir algo, virá aqui e descobrirá você!

Pegasus parou de quebrar o chão, mas sacudiu a cabeça, ainda bufando e relinchando. Emily olhou para Joel desesperada.

– O que será que tem de errado com ele?

– Sossegue, garoto, calma – Joel falou e então se virou para Emily. – Parece que Pegasus não gosta do tal Paelen, seja ele quem for.

– É isso? – ela perguntou ao cavalo. – Você não gosta do Paelen?

Pegasus ficou parado, estranhamente em silêncio, e olhou diretamente nos olhos de Emily. Naquele instante ela sentiu uma forte conexão com ele e, de alguma forma, soube que Paelen era alguém que machucara Pegasus e lhe causara muitos problemas. Enquanto encarava aqueles grandes olhos negros, estranhas imagens começaram a inundar sua mente. Ela viu Pegasus em um céu escuro e tempestuoso, com raios brilhando a sua volta. Ela sentiu sua determinação, seu medo e sua necessidade urgente de chegar a um lugar, sabendo que era uma questão de vida ou morte. Então ela viu um garoto no céu, ao lado do garanhão branco. O menino era mais velho que Joel, mas muito menor. Ele voava ao lado de Pegasus e se esticava para pegá-lo. Então ela o viu arrancar as rédeas douradas do cavalo e, de repente, surgiu a ofuscante luz de um raio e uma dor cortante...

– Emily? – Joel repetiu. – O que aconteceu, Emily?

Quebrando a conexão, Emily piscou e cambaleou.

– Joel? – ela falou num tom de voz baixo e distante.

– Você está bem?

– Sim, estou. Acho que sim. – Sua mente começou a clarear e ela se concentrou em Joel, que agora a encarava com ansiedade. – Acabei de ver uma coisa muito estranha – ela falou.

– O quê?

Emily olhou para o cavalo alado.

– O que foi que vi, Pegasus? Algo que aconteceu mesmo, certo? Paelen roubou suas rédeas e foi por causa dele que você foi atingido por um raio.

Ele bufou e encostou a cabeça gentilmente em Emily. Aquilo era um sim.

– Me conte, por favor – Joel pressionou. – O que você viu?

– Não sei como explicar, mas foi como se eu estivesse vendo TV, só que foi muito mais intenso. Quando Paelen arrancou as rédeas douradas de Pegasus, elas atraíram um raio e os dois foram atingidos.

– Então temos que achar esse tal Paelen e pegar as rédeas de volta – Joel sugeriu.

– Isso será impossível – Emily respondeu. Enquanto acariciava Pegasus, contou para Joel sobre a conversa que tivera com o pai e como Paelen fora pego pela agência secreta UCP.

– Nunca ouvi falar de uma agência upa – Joel falou perplexo. – E olha que meu pai trabalha nas Nações Unidas!

– Não é upa, – Emily corrigiu – é U-C-P, Unidade Central de Pesquisas. Não é todo mundo que conhece essa agência; eles lidam com coisas estranhas e científicas e tudo o que for relacionado a alienígenas. Meu pai diz que quando a UCP leva alguém, a pessoa nunca mais é vista, nem se ouve falar dela. Ele já precisou lidar com a agência algumas vezes durante sua carreira e, em todas elas, ou foi ameaçado ou o mandaram ficar em silêncio, senão haveria problemas. Se a UCP ficar sabendo sobre o Pegasus, eles o levarão e nunca mais o veremos.

– Se eles são tão maus quanto você está dizendo, provavelmente nós também desapareceríamos apenas porque vimos o Pegasus.

– Tem razão – Emily falou. – Por isso temos que ser muito cuidadosos até que a asa dele fique boa. Pegasus tem que conseguir partir em segurança para fazer o que quer que seja que tenha vindo fazer.

– E por acaso ele mostrou a você o que era?

– Não. Só vi o Paelen roubando as rédeas dele e os dois sendo atingidos por um raio, mas deu pra perceber que era uma questão de vida ou morte. – Ela se virou para o garanhão. – Não era, Pegasus?

O cavalo assentiu com a cabeça e bateu com o pé no chão.

– Bom, se não podemos ir atrás de Paelen para pegar as rédeas, o que faremos? – Joel perguntou.

Emily deu de ombros.

– Acho que devemos manter o Pegasus seguro e bem até que fique curado.

Joel concordou com a cabeça.

– E para isso ele precisa de muita comida e cuidados. Achou mel lá embaixo?

Emily começou a mexer nas sacolas que tinha trazido.

– Trouxe mel, xarope de milho, açúcar branco e mascavo e mais cereal doce. Mas ainda não acredito que um cavalo deva comer tudo isso.

Pegasus protestou ruidosamente.

– Sinto muito, Pegs – Emily se desculpou e depois olhou para Joel com um meio sorriso. – Ele odeia ser chamado de cavalo, né?

– Você também não odiaria se fosse ele? – Joel retrucou.

Enquanto Emily colocava metade da caixa de cereal em uma grande tigela de plástico, Joel abriu a lata de xarope de milho e jogou por cima. Depois acrescentou várias colheres de açúcar mascavo.

– Eca! – Emily exclamou enquanto o garanhão comia vorazmente. – Como consegue comer isso, Pegs? Depois de ver essa cena, acho que nunca mais chegarei perto de cereais matinais...

Depois que Pegasus estava alimentado, Joel se sentou para comer os sanduíches que Emily preparara para ele.

– Que horas você precisa chegar em casa? – ela perguntou, olhando para o relógio. Era apenas um pouco depois das seis da tarde. O sol ainda brilhava, mas já tinha atravessado a cidade e logo começaria a se pôr.

– Não vou voltar – ele disse casualmente, depois de tomar um grande gole de leite direto da caixa.

– Não vai voltar? – Emily perguntou apreensiva. – Seus pais não vão ficar preocupados?

Joel olhou para o outro lado.

– Meus pais morreram. Estou morando em um orfanato. As pessoas lá não ligam para mim, então acho que ninguém ficará preocupado. – Ele tentou parecer indiferente, mas Emily pôde ouvir o tremor em sua voz aparecendo por baixo daquela bravata. Ela não sabia bem o que dizer, afinal, não fazia ideia sobre o passado dele.

– Eu não sabia, Joel, me descul...

– Está tudo bem – ele respondeu rapidamente. – Não é como se eu tivesse contado para todo mundo. – Ele olhou para baixo, evitando o olhar dela, e começou a falar devagar. – Três anos atrás, eu morava com minha família em Connecticut. Estávamos indo viajar quando um motorista bêbado perdeu o controle do carro e nos acertou. Meus pais e meu irmão menor morreram na hora. Também fiquei ferido, mas acabei sobrevivendo. Apesar de que, todos os dias depois do acidente, eu desejei não ter sobrevivido.

– Oh, Joel... – Emily disse em um sussurro. – Deve ter sido horrível.

Joel não falou nada por um bom tempo, depois finalmente olhou para ela.

– Tenho estado em orfanatos desde então, mas eu odeio isso.

Emily estava surpresa demais para falar. Jamais teria imaginado aquilo. Ela sabia o que era sofrer com a dor interminável de perder um dos pais, mas não conseguia imaginar como seria perder a família inteira.

– E não tem ninguém lá na Itália com quem você possa ficar?

– Não – Joel respondeu de pronto. – Ninguém me quer, então estou preso aqui. – Ele levantou o queixo de modo desafiador. – Mas não será por muito tempo, pois estou planejando fugir. Encontrarei um lugar onde ninguém mais me dirá aonde ir, o que fazer ou qualquer outra coisa, nunca mais. Finalmente serei livre!

Joel ficou em pé de repente e foi até Pegasus. Emily percebeu a tensão em seus ombros desaparecer quando ele começou a acariciar a face do garanhão.

– Vou ficar aqui esta noite – ele falou de costas para Emily. – Não gostaria de deixar o Pegasus sozinho.

Emily se levantou e colocou as mãos na cintura. Ele podia ter tido uma vida difícil, mas não precisava ofender.

– Nossa, valeu pelo voto de confiança! – disse ofendida. – Mas, pra sua informação, caso não tenha percebido, eu estou aqui, então ele não está sozinho.

– Você entendeu o que eu quis dizer. Precisa voltar ao apartamento antes que seu pai saia para trabalhar hoje à noite. Eu posso ficar aqui para que o Pegasus não se assuste.

Emily ia retrucar, mas algo no olhar dele a deteve. Aquele não era mais o rapaz raivoso que ela tinha encontrado de manhã em frente de casa. De repente, ela viu em seus olhos a necessidade. Ele precisava ficar com Pegasus.

– Tudo bem – ela disse. – Você pode ficar. Posso trazer uns cobertores e travesseiros. Mas só para você saber, também estou planejando ficar aqui em cima. Depois que meu pai for trabalhar, podemos trazer tudo para cá, será como se estivéssemos acampados.

– Mas sem os *marshmallows* – Joel acrescentou.

– Acho que temos isso lá embaixo – ela retrucou. – Mas, se conheço o Pegasus, ele vai pegá-los de mim antes mesmo que eu abra a sacola!

Capítulo 9

Depois que todos os aparelhos foram ligados a Paelen, os médicos se dirigiram até seus computadores para checar as leituras. Paelen os observou curioso, mas não disse nada. Em vez disso, se concentrou no que o cercava. Na parede de trás, bem acima da cama, havia uma pequena grade de ventilação. Dava para sentir um vento gentil soprando sobre ele, além de ser possível ouvir sons de outros quartos vindos da grade. Isso significava que havia um sistema de túneis acima, pelos quais ele poderia deslizar facilmente. Túneis eram a sua especialidade. Não havia um único túnel no Olimpo no qual ele não pudesse passar ou achar a saída, incluindo o grande labirinto do Minotauro. Paelen sabia que, assim que estivesse livre dos gessos em suas pernas, conseguiria achar um caminho até a superfície.

É claro que ainda havia o problema das algemas, mas ele notara que os homens de macacão tinham a chave. Se trabalhasse direito, conseguiria pegá-las. E se não desse certo, Paelen poderia usar seu talento de esticar o corpo, apesar de preferir não fazer isso.

Enquanto sua mente trabalhava no problema, Paelen ouviu a mesma série de bipes estranhos que escutara antes. Um pouco depois, a porta se abriu e dois homens entraram. Um deles era um homem de meia-idade com os cabelos grisalhos, que usava terno preto e tinha uma expressão sombria. O outro era mais jovem, tinha cabelos loiros e curtos, também usava terno preto e tinha uma expressão não muito boa no rosto.

De costas para ele, começaram a sussurrar com os médicos. Paelen não conseguiu segurar o sorriso em seu rosto. Eles não tinham ideia de que ele podia ouvir claramente que eles discutiam os resultados dos exames e o que tinham descoberto até então, do mesmo jeito que não sabiam que ele podia ouvir as outras vozes através da grade de ventilação acima dele.

Mais uma vez, Paelen foi lembrado de como era diferente daqueles humanos. Mesmo que o significado de algumas das palavras não fosse claro, ele entendeu o suficiente. Estavam discutindo quão extraordinários eram seus padrões cerebrais, que ele tinha força e densidade muscular superior, que seus ossos eram flexíveis e diferentes dos ossos humanos, o que explicava parcialmente como ele sobrevivera à queda. Também tinham encontrado vários órgãos que não conseguiam identificar. Quando perguntado, um dos médicos sugeriu que Paelen não tinha mais do que dezessete anos.

Aquele comentário quase fez com que Paelen caísse na gargalhada. Ele teve que morder a língua para não rir alto. Se soubessem a verdade sobre sua idade, tinha certeza de que nunca acreditariam nele. Ou talvez acreditassem. E aquilo só faria as coisas ficarem piores para ele.

Finalmente os dois homens se sentaram em cadeiras ao lado da cama de Paelen. O mais velho tirou um pequeno aparelho preto do bolso e apertou um botão. Depois o segurou perto da boca e começou a falar.

– Relatório UCP, C.49.21-j. Primeira entrevista. Data: dois de junho, às dezenove horas. O indivíduo é um homem. Sua idade aproximada é dezessete anos. Exames médicos revelam ferimentos múltiplos consistentes com ter sido atingido por um raio e sofrido uma queda de uma grande altura.

– Outros testes revelaram anomalias físicas profundas. Os órgãos do indivíduo não estão onde deveriam. Identificamos vários outros órgãos cujas funções ainda não foram determinadas. Precisaremos de mais investigações. O indivíduo tem vários ossos fraturados que estão se recuperando em uma velocidade incrível. O exame de sangue revelou um tipo sanguíneo desconhecido, com propriedades estranhas. O indivíduo é muito forte, apesar de ser pequeno e ter a aparência bem jovem...

Paelen ficou observando o homem falar para o aparelho. Parecia que estava descrevendo um tipo de monstro, e não ele. Quanto mais ouvia, mais começava a entender em que tipo de encrenca se encontrava.

O homem finalmente terminou e se virou para Paelen.

– Diga o seu nome para o registro – ele falou, aproximando o aparelho de Paelen.

A princípio, ele ficou em silêncio, mas quando o homem repetiu a frase, achou que seria um bom momento para começar sua investigação. Então respondeu:

– Indivíduo.

– Esse não é o seu nome – o homem falou.

– Talvez não seja – Paelen concordou. – Entretanto, é o nome que você me deu, e um nome é tão bom quanto qualquer outro, não?

– Não chamei você de indivíduo.

– Chamou sim.

– Não, acho que não – o homem mais velho falou.

– Chamou sim – Paelen insistiu. – Agora mesmo. Você estava falando para a pequena caixa preta e disse "o indivíduo tem vários ossos fraturados que estão se recuperando em uma velocidade incrível". E depois: "O indivíduo é muito forte, apesar de ser pequeno e ter a aparência bem jovem". Então, se você fica feliz em me chamar de Indivíduo, então este deve ser o meu nome. Sou o Indivíduo.

– Não quero chamar você de Indivíduo – disse o homem já com certa irritação. – Só queremos saber como devemos nos dirigir a você antes de continuarmos com as perguntas.

Paelen percebeu que aquele homem ficava perturbado facilmente. Ele era pior do que Mercúrio, que era o Olímpico mais fácil de ser perturbado. Linhas de frustração e raiva já surgiam em seu rosto; seus lábios estavam bem apertados e suas sobrancelhas se erguiam em uma careta. Ele, então, decidiu testar o homem e forçar um pouco mais a barra.

– Você parece confuso. Se isso já acontece com algo simples como o meu nome, tenho certeza de que será um grande desafio conseguir compreender as respostas que darei às perguntas que fizer.

O homem, cuja frustração aumentava, sacudiu a cabeça de forma negativa.

– Não estou confuso – disse nervosamente – e sei que seu nome não é Indivíduo. Indivíduo não é um nome, é o que você é.

– E ainda assim você insiste em me chamar disso. – Paelen se recostou nos travesseiros, se divertindo com aquele jogo. – Não entendo você. É óbvio que é um homem de inteligência questionável. Vá embora, por favor.

O rosto do homem ficou vermelho. Ele respirou fundo várias vezes para se acalmar.

– Talvez seja melhor começarmos tudo de novo – falou. – Bem simples e fácil: qual é o seu nome?

– Pode me chamar de Júpiter.

– Como? Você disse Júpiter?

– Além de ignorante você também é surdo? – Paelen perguntou e se virou para o homem mais jovem. – Acho que é hora de você levá-lo embora. Ele não está bem, obviamente, e deveria ser contido.

O homem mais velho ficou em pé, furioso.

– Ah, seu pequeno arrogante...

– Se acalme, agente J – disse o jovem segurando o braço do mais velho. – Sente-se e me deixe tentar.

Paelen estudou cuidadosamente a relação entre os agentes. O mais velho claramente estava no comando, mas pareceu aceitar o conselho do mais jovem, pois se acalmou um pouco. Este direcionou sua atenção para Paelen.

– No hospital, você disse ao médico que seu nome era Paelen, o Grandioso. Qual deles é o verdadeiro? Júpiter ou Paelen?

– Se você insiste em saber – ele respondeu –, sou Paelen, o Grandioso. Agora, me liberte.

– Ou então o quê? – o homem mais velho desafiou.

– Ou eu farei com que a ira do Olimpo recaia sobre vocês.

– A ira do *Olimpo*? – ele clamou.

– Você precisa repetir tudo o que falo? – Paelen perguntou. – Isso é bem perturbador!

O homem esticou a mão e segurou no pulso de Paelen.

– Já cansei de suas brincadeiras, meu jovem. Agora já chega. Não vamos deixar você ir embora. Nem agora e nem nunca. Então nos diga quem é, de onde vem e por que está aqui.

O homem segurava firme em seu pulso, mas não o suficiente para machucar Paelen, que percebeu que aquela era a verdadeira intenção do homem.

– Responderei suas perguntas apenas depois que responderem algumas das minhas – disse. – Exijo saber onde estou. Quem são vocês? Por que estão me prendendo?

– Somos nós que fazemos as perguntas, e não você – o homem mais velho respondeu e apertou mais o pulso de Paelen.

– Então não temos mais nada para conversar – Paelen respondeu, se virando para longe dos olhos curiosos de ambos. – Podem pedir para os outros homens trazerem ambrosia para mim agora.

– Não vamos fazer nada disso – o jovem respondeu.

– Olha, garoto, isso não é engraçado. Se deixar o meu colega mais nervoso, ele vai quebrar seu pulso.

Paelen ficou sério e se sentou, ignorando a dor proveniente de suas costelas quebradas. Ele olhou para os dois homens e então se concentrou no mais velho.

– Se acha que pode me machucar apertando meu pulso como uma criança, está muito enganado. Já enfrentei a ira do Minotauro e da Hidra. Lutei contra os Nirads e ganhei. Certamente não tenho medo de um humano como você ou das ameaças vazias que faz.

– Garanto que minhas ameaças não são vazias – o mais velho alertou. – Não me force fazer algo de que se arrependerá depois. Nos diga quem é e de onde veio.

Paelen não gostava nem um pouco daqueles homens.

– Se insiste, sou Mercúrio – ele respondeu finalmente. – Vim fazer uma visita ao seu mundo, mas fui ferido durante uma tempestade. Quando me recuperar, devo voltar ao Olimpo.

– Continua com esse papo de mitologia grega? – o agente J falou sombriamente.

– Mercúrio é da mitologia romana – o mais jovem corrigiu. – O nome grego é Hermes.

Paelen viu o mais velho lançar um olhar fulminante para o outro – Tanto faz! – e depois se virar novamente para ele.

– Isso não foi uma resposta. Me diga o que quero saber.

– Mas eu já falei! – Paelen insistiu. – Sou o Mercúrio. Você está com as minhas sandálias; tenho certeza que reparou nas asas dela. Quem mais, além do Mensageiro do Olimpo, usaria algo assim?

O agente J respirou fundo e segurou o ar. Quando soltou, colocou os ombros para trás e se sentou.

– Se continuar a se recusar a responder, prometo que farei com que as coisas fiquem bem desconfortáveis para você.

– As coisas já estão bem desconfortáveis para mim – Paelen falou. – Mas estou dizendo a verdade. Não tenho culpa se você não quer acreditar.

O agente J olhou para seu jovem companheiro.

– Não vamos a lugar nenhum com ele. – Depois olhou para o relógio e falou para o aparelho. – Dezenove horas e vinte minutos. Fim da entrevista.

Nervoso, ele desligou o aparelho e olhou para Paelen.

– Chamar você de Mercúrio, Júpiter, Paelen ou Indivíduo não importa nem um pouco. O que importa é que agora você é meu. Logo, responderá todas as minhas perguntas, nem que eu tenha que arrancar uma palavra de cada vez da sua boca!

Paelen viu a ameaça crescer nos olhos do agente J. Aquele homem queria dizer exatamente o que disse.

Os dois homens se levantaram e foram até o pequeno aparelho cinza ao lado da porta. Paelen prestou ainda mais atenção quando o mais velho apertou vários botões. Aquilo fez soar os mesmos bips de antes de eles entrarem no quarto.

– Uma trava de som – Paelen murmurou para si mesmo enquanto os via empurrar a porta e sair. – Se Júpiter não conseguiu criar uma prisão que me segurasse, o que faz vocês acharem que podem?

Capítulo 10

Uma hora antes da meia-noite, o pai de Emily começou a se aprontar para ir trabalhar.

– Tem certeza que ficará bem aqui sozinha?

Emily fez que sim com a cabeça e entregou a ele a marmita que tinha preparado.

– Estou bem cansada de tanto trabalhar no jardim hoje. Aposto que vou dormir na hora que puser a cabeça no travesseiro!

– Está bem, então – o policial disse, dando um beijo na testa da filha. – Só não fique nervosa por não ter luz. Você tem a lanterna e várias pilhas extras. Prefiro que não use velas, se não se importa.

– Eu entendo – ela respondeu. – A que horas voltará para casa amanhã?

O pai de Emily suspirou.

– Tarde, infelizmente. Farei mais um turno dobrado. Não volto antes do jantar, mas tem bastante comida e água aqui; você não precisará sair. E lembre-se, se precisar de mim...

– Já sei, eu ligo, pode deixar. – Emily sorriu e gentilmente começou a levar o pai até a porta. – Vá trabalhar, pai. A cidade precisa de você.

– Espero que você precise de mim também – disse enquanto colocava seu quepe.

– Sempre vou precisar de você – garantiu Emily enquanto ficava na ponta dos pés para dar um beijo na bochecha do pai. – Tome cuidado e volte inteiro para casa, por favor!

– Pode deixar – ele prometeu enquanto ligava sua lanterna de policial e adentrava o corredor escuro. Se virando uma última vez, falou:

– Tranque a porta e deixe o taco à mão.

– Pode ir embora logo? – ela falou, rindo.

Depois que o pai partiu, Emily esperou um pouco antes de ir até as escadas. Ao chegar ao terraço, mais uma vez ficou impressionada com a linda noite estrelada que viu.

– Uau! – ela exclamou. – Nunca vi tantas estrelas!

– Incrível, não? – Joel concordou, afastando-se de Pegasus. – Nem precisa usar sua lanterna.

Depois do pôr do sol, Pegasus podia sair do barracão e andar livremente pelo terraço, sem temer ser visto por algum vizinho curioso. Emily percebeu que o garanhão estava parado em frente à horta de morangos de seu pai, ocupado em comer todas as frutas maduras que encontrasse.

– Ele não parou de comer desde que anoiteceu – Joel explicou. – Se está maduro e é doce, ele come. Infelizmente, Pegasus destruiu o que restava da horta de tomates.

– Tomates? – Emily repetiu. – Não plantamos tomates este ano. Com minha mãe doente, nem subimos aqui nos últimos tempos.

– Devem ter crescido das mudas do ano passado – Joel sugeriu. – Aliás, tem muita coisa crescendo aqui, mas ele só quis os tomates.

Emily se aproximou de Pegasus, que continuava perto dos morangos.

– Oi, garoto – ela falou enquanto acariciava sua asa dobrada.

Pegasus soltou um morango maduro na mão dela.

– Valeu, Pegs! – surpreendeu-se Emily, saboreando a fruta adocicada.

– Não acredito que você comeu isso! – disse Joel horrorizado. – Estava na boca dele!

– E daí?

– E daí que é nojento! Deve estar cheia de germes...

– Não seja bobo! – ela retrucou. – Aposto que temos muito mais germes do que ele. – Depois se virou para Pegasus. – Então, como está se sentindo agora?

– Ele está melhorando – Joel respondeu. – Até já esticou a asa para testar. Não acho que vai demorar para que esteja curado.

– De repente, Emily sentiu uma grande pontada de tristeza. Pegasus não poderia ficar ali para sempre, ela sabia disso, mas depois da perda recente da mãe, ficar sem ele parecia demais para ela.

Como se soubesse o que Emily estava pensando, o garanhão ofereceu mais um morango e aquele gesto simples fez com que a garota ficasse com lágrimas nos olhos.

– Obrigada, Pegasus – disse calmamente.

– Ei, você está chorando? – Joel perguntou. – O que foi?

– Nada! – Emily respondeu, limpando rapidamente as lágrimas. – Estou muito cansada. Não dormi a noite passada e estamos resolvendo as coisas desde cedo. Só preciso descansar um pouco.

– Você não disse que iríamos acampar aqui em cima hoje? – Quando Emily fez que sim com a cabeça, ele prosseguiu. – Bom, então vamos até o apartamento pegar uns cobertores e depois podemos dormir.

Emily assentiu novamente e limpou suas últimas lágrimas silenciosas.

– Prometi *marshmallows* a Pegasus, então também pegarei alguns.

Emily e Joel voltaram logo com dois sacos de dormir, vários cobertores e dois travesseiros.

Um dos cobertores foi enrolado em Pegasus para que ele ficasse aquecido, mas, quando os dois se ajeitaram em duas espreguiçadeiras, foram surpreendidos pelo garanhão, que se deitou no chão entre eles para descansar.

– Por que acha que ele está aqui? – Joel perguntou deitado em sua espreguiçadeira e olhando para as estrelas.

– Não sei – Emily respondeu, deitando de lado e acariciando o pescoço de Pegasus. – Sei que é algo muito importante, mas não consegui ver o motivo.

– Talvez tenha algo a ver com o outro Olímpico, o Paelen.

– Pelo que vi, Pegasus já estava a caminho quando Paelen roubou as rédeas dele. Acho que o garoto foi mais um obstáculo do que o problema principal.

Depois disso, o silêncio tomou conta do lugar. A noite estava fresca, mas não fria, e as estrelas no céu e o silêncio da cidade passavam a impressão de que os garotos estavam realmente acampando.

– Joel – Emily falava com curiosidade –, como é morar em um orfanato?

Ela o ouviu respirar fundo e imediatamente se arrependeu de ter perguntado aquilo.

– Por que quer saber? – Joel perguntou desafiadoramente, com um tom de voz mais severo.

– Não fique bravo de novo, por favor – ela pediu. – Foi só uma pergunta.

– Não estou bravo – ele retrucou –, só não gosto de falar sobre isso.

– Me desculpe, não devia ter perguntado – disse Emily rapidamente, virando-se na cadeira e se cobrindo. – Vamos esquecer isso e dormir.

Joel ficou um bom tempo em silêncio. Ela podia ouvir sua respiração pesada, mas não tinha ideia do que ele estaria pensando.

– Me desculpe, Emily – ele acabou falando. – Não devia ter descontado em você, mas entenda que, quando meus pais morreram, eu perdi todos que conhecia na vida. Todos que eu gostava, e tenho estado sozinho desde então.

Emily se virou novamente para ele, mas não disse nada. Joel respirou fundo de novo.

– As coisas não deram certo com a primeira família com a qual fui morar. A gente sempre brigava, então eles me mandaram para a nova casa. Mas eu odeio aquele lugar; lá tem um monte de outras crianças e os nossos pais estão sempre gritando. Odeio dividir o quarto com outros quatro garotos. Eles sempre roubam minhas coisas.

– Você não pode ir para algum outro lugar? – ela perguntou.

– Tentei conversar com as assistentes sociais, mas elas sempre dizem não, e falam que tenho que agradecer por ter onde morar. Elas não ligam para o modo como as coisas funcionam por lá.

– Não é nenhuma surpresa você querer fugir – Emily falou de forma compreensiva. – Eu também fugiria.

– E é o que farei, logo depois que curarmos o Pegasus. – Joel esticou a mão para fazer carinho no garanhão. – Talvez ele me leve junto quando for embora. – Então fez uma pausa e sua voz se tornou sonhadora. – O Pegasus e eu. Isso sim seria a realização de um sonho.

Capítulo 11

Bem antes do amanhecer, o céu se abriu e surpreendeu Emily e Joel, acordando-os com uma chuva gelada. O tempo que levou para acharem a lanterna e levar Pegasus até o barracão foi suficiente para que ficassem ensopados e tremendo de frio. Amontoados no barracão, ficaram olhando a chuva pesada que caía.

– Pelo menos não tem raios – Emily falou com os dentes batendo.

– Era só o que faltava – Joel concordou e, quando viu quanto ela estava com frio, aproximou-se mais. – Acho que não devemos continuar aqui em cima. Estamos ensopados e congelados.

– Mas não quero deixar o Pegasus sozinho.

– Eu também não – Joel respondeu –, mas não vamos poder ajudá-lo se pegarmos pneumonia.

Emily esticou a mão e fez carinho no pescoço do cavalo alado. Sua pele estava quente e ele não estava tremendo.

– Você tem razão, estou mesmo congelando. – Emily chegou mais perto de Pegasus. – Voltaremos logo, Pegs – ela prometeu. Então os dois correram até as escadas e desceram.

Já no apartamento, Emily pegou algumas roupas de seu pai para Joel e depois foi até o seu quarto se trocar. Quando voltou, achou Joel dormindo no sofá.

Então pegou um cobertor e cobriu seu novo amigo. Depois de um momento de hesitação, voltou para o quarto e caiu na cama. Pouco tempo depois já estava dormindo.

A chuva continuou no dia seguinte e, apesar de ser o começo do verão, a temperatura caiu, o que impediu Joel e Emily de passarem o dia todo no terraço com Pegasus. Os dois ficaram um pouco lá e por vezes iam até a cozinha buscar comida para o garanhão.

– Acabou o açúcar – Emily falou. – E também o xarope, os cereais e o mel.

– Nunca vi um apetite tão grande! – Joel acrescentou. – Esse cavalo não para de comer!

– Não deixe ele ouvir você o chamar de cavalo – Emily disse rindo. – Pegasus odeia!

– É verdade! – Joel riu também. Depois foi até uma das muitas janelas do apartamento. – A chuva está diminuindo um pouco e estou vendo que umas duas lojinhas do outro lado da rua estão abertas.

– Mesmo sem energia? – Emily perguntou ao mesmo tempo em que se juntava a ele.

– Parece que sim – Joel respondeu. – Onde é o mercado mais próximo?

– Tem um grande a alguns quarteirões daqui – ela falou. – Normalmente eu e meu pai vamos lá aos sábados.

– Vou até lá – Joel falou. – Esgotamos as coisas da sua cozinha e o Pegasus precisa de mais comida, sem falar que seu pai vai perceber que tem um monte de coisas faltando.

– Mas como você vai fazer com as compras? Não tem luz, Joel, e nada de elevador. Se o mercado estiver aberto, você terá que subir vinte andares carregando sacolas pesadas. Lembra de como nos sentimos quando subimos tudo na primeira vez?

– Eu sei, mas preciso tentar.

– Então eu vou com você – Emily falou decidida. – Assim podemos trazer mais coisas.

Joel fez que não com a cabeça.

– Obrigado, mas acho que você não deve ir. Sabe como o Pegasus fica chateado quando você não está. É melhor ficar lá em cima com ele. Prometo que não vou demorar.

Emily queria mesmo ajudar, mas sabia que Joel tinha razão. Pegasus estava ficando cada vez mais agitado na medida em que ia se curando. Tornava-se cada vez mais difícil mantê-lo no barracão.

– Tem razão – ela acabou concordando e depois foi ao quarto do pai para pegar o dinheiro que eles escondiam em uma gaveta secreta. – Meu pai guarda dinheiro aqui para as emergências. Isso deve dar para tudo o que precisamos.

Joel aceitou o dinheiro e também o casaco de chuva do pai de Emily, depois pegou a lanterna e as sacolas de supermercado que a garota deu a ele e a guiou até o terraço. Então, ao descer novamente as escadas, se virou e sorriu para ela.

– Não faça nenhum teste de voo sem mim!

Emily também sorriu e prometeu não fazer, depois fechou a porta do terraço e foi até o barracão.

– Ele foi buscar um monte de coisas doces para você – Emily explicou enquanto ajeitava o cobertor sobre as asas do garanhão. – Espero que o mercado esteja aberto.

Quando fez um carinho no pescoço dele, Emily sentiu que Pegasus começava a tremer, e não era por causa da chuva fria. O cobertor estava limpo e seco e a pele dele estava quente, mas ele estava ficando cada vez mais ansioso e o bater dos cascos no chão evidenciava isso.

– O que foi, Pegs? Qual o problema? Está sentindo dor?

Preocupada com o cavalo alado, Emily checou sua asa quebrada. Ela conseguiu sentir que os ossos quebrados tinham se colado novamente, de alguma forma.

– Bom, não é a sua asa. Por acaso é o ferimento da lança? – Dirigindo-se até o outro lado, Emily levantou a asa boa e arrancou a fita adesiva do curativo, ficando surpresa ao ver que o ferimento já estava totalmente curado.

– Uau! – ela exclamou. – Está ótimo! Como fez isso? Foi todo aquele açúcar?

Pegasus bateu o pé no chão. Seus olhos estavam brilhantes e alertas, mas havia algo neles que a preocupava.

Eles ficaram vendo a chuva pesada cair e Emily perdeu a noção do tempo. Já estava preocupada com Joel, quando o ouviu chamar seu nome lá das escadas.

– Você está bem? – ela perguntou correndo até ele.

– Vou ficar depois que vomitar – Joel respondeu ofegando e se apoiando ao lado da porta que dava acesso às escadas.

Emily foi pegar as sacolas das mãos dele e ficou surpresa com seu peso.

– Nossa, quantas coisas você comprou?

– Comprei o máximo que pude. Está uma loucura lá fora, as pessoas estão comprando como se fosse o fim do mundo. Tive que brigar com uma senhora pelos dois últimos potes de mel. E nem me pergunte como foi na seção de cereais.

Pegasus começou a relinchar no barracão.

– Parece que alguém está com fome de novo – Joel falou, cansado, pegando uma caixa de cereais coloridos para crianças, abrindo e dando para Pegasus comer.

– Não é só fome – Emily falou. – Tem alguma coisa o incomodando, e muito.

– Alguma ideia do que possa ser?

Ela fez que não com a cabeça.

– O que quer que seja, estou sentindo que não é algo bom.

Depois de garantir que Pegasus tinha bastante coisas para comer, Emily e Joel desceram até o apartamento para guardar o resto da comida.

– Meu pai vai voltar para casa daqui a pouco. Acho que ainda não é uma boa ideia vocês se encontrarem.

– Por que não? – ele perguntou parecendo ofendido. – Não quer que ele me conheça?

– Meu pai é policial, Joel – Emily explicou. – Ele é desconfiado por natureza. Se descobrir que você mora em um lar adotivo, vai querer contatar os responsáveis pela casa e eles podem querer levar você embora. O Pegasus precisa de nós dois.

– E o que você sugere? – Joel perguntou.

Emily suspirou.

– Odeio mentir para ele, mas acho que você devia ficar aqui, mas continuar escondido.

– Onde? – perguntou, olhando para o apartamento. – Este lugar não é tão grande.

– Você poderia ficar no meu quarto.

E onde você vai ficar?

– No meu quarto também – ela respondeu. – Tem bastante espaço no chão lá e, além disso, vamos passar a maior parte do tempo com o Pegs. Será só quando meu pai estiver por aqui, e ele está fazendo turnos duplos por causa do blecaute.

– Eu também podia ficar lá em cima com o Pegasus – Joel sugeriu.

Emily fez que não com a cabeça.

– Ainda está chovendo. Você não poderia dormir lá fora, iria congelar.

– Mas e se o seu pai me pegar aqui?

– Você vai ter que tomar cuidado para que isso não aconteça, só isso – ela respondeu.

Joel deu de ombros.

– É mais fácil falar do que fazer.

No momento em que o pai de Emily voltou do trabalho, Joel correu para o quarto e, apesar de sua preocupação, acabou dormindo bem no chão, ao lado da cama de Emily. Quando acordou no dia seguinte, a garota já tinha se levantado e seu pai saíra para trabalhar novamente.

– Dormiu bem? – perguntou entregando um copo com suco de laranja a ele.

– Muito bem. Acho que foi a melhor noite de sono que tive em muito tempo.

Quando subiram novamente até o terraço, Pegasus estava estranho. Ele tinha saído do barracão e estava resfolegando e raspando o chão nervosamente. Seus cascos afiados tinham feito vários sulcos no chão de concreto. Emily percebeu que se não o fizessem parar, logo ele acabaria fazendo um furo até seu apartamento.

– O que foi, Pegs? – Emily perguntou enquanto corria em sua direção. – Qual é o problema?

– Emily, olha – Joel falou apontando para a comida do garanhão. – Ele não tocou em nada. Será que todo aquele açúcar começou a fazer mal para ele?

– Não sei – ela acariciou o pescoço do cavalo alado e pôde sentir os nervos tensos de seu corpo. – Ele não parece doente, veja os olhos de Pegasus, Joel, ele está com medo.

– Do quê?

Emily deu de ombros.

– Seja lá o que for, se deixou ele com medo, deve ser algo muito ruim.

Joel e Emily ficaram com Pegasus a manhã toda, mas, em vez de se acalmar, ele foi ficando cada vez mais agitado, e arranhou tanto o chão que acabou abrindo um buraco. Emily olhou através dele e viu o quarto de seu pai.

– Como vamos explicar isso? – exclamou. – Pegs, por favor... Você tem que se acalmar!

Mesmo assim, nada do que fizeram conseguiu acalmar Pegasus. Durante a tarde, começaram a ouvir gritos de aviso vindos do prédio alto do outro lado da rua.

– Oh, não! – Emily olhou desesperada para as pessoas que estavam nas janelas. Elas gritavam e apontavam para o terraço do prédio dela. – Eles viram o Pegasus, Joel!

Joel olhou para os montes de pessoas que se reuniam diante de suas janelas e viu mais do que curiosidade em seus rostos. Ele viu medo.

– Elas também estão aterrorizadas – ele falou. – Olha só para elas, Emily, não estão apontando para o Pegasus. Estão apontando para a lateral do seu prédio.

Quando prestaram mais atenção no que as pessoas diziam, perceberam que elas gritavam para que eles saíssem do teto do prédio e corressem.

– Por que querem que a gente corra? – Emily perguntou enquanto se aproximava da beirada.

De repente, Pegasus ficou insano, empinou e começou a relinchar alto. Quando suas asas se abriram, ele acertou Emily, jogando-a para longe da beirada e depois avançando na direção dela. Pegasus relinchava raivosamente e chutava com as pernas da frente.

– Para trás, Emily! – Joel gritou. – Ele ficou louco!

Enquanto Joel tentava puxar Emily para longe, Pegasus foi em frente, passou trombando nele e investiu contra a beirada do terraço no momento em que uma criatura monstruosa surgia ali.

Capítulo 12

— Veja Joel! – Emily gritou e apontou. Ele se virou e viu várias criaturas de quatro braços surgindo na beirada do prédio. Elas tinham a pele cinza mosqueada como mármore. Pegasus chutou a cabeça do primeiro e o jogou girando lá para baixo, mas, quando partiu para cima da segunda criatura, uma terceira subiu na borda, soltou um rugido feroz e partiu para cima do garanhão.

– Não! – Emily gritou.

Joel correu até a porta onde Emily deixara o bastão de beisebol, o pegou e correu de volta em direção à criatura.

– Solta ele! – Joel gritou. – Deixe o Pegasus em paz!

Joel bateu com força e depois tentou de novo, mas cada vez que o taco encostava nas costas da criatura, nada acontecia. A única coisa que parecia ter algum efeito era quando Pegasus os acertava com seus cascos de ouro. Mais criaturas assassinas de pele cinzenta surgiam na beirada do prédio, todas focadas em Pegasus, determinadas a matá-lo.

Os instintos de Emily assumiram o controle e ela correu até onde tinha deixado as coisas de jardinagem, pegou um forcado grande, o levantou e correu contra o monstro que tentava matar

Pegasus e que estava mais próximo dela. Mas, no meio da luta, um deles desviou a atenção para Emily e partiu em sua direção.

– Joel! – Emily gritou e depois golpeou a criatura. Quando ficaram mais próximos, o cheiro do monstro era quase insuportável. Emily percebeu que os olhos da criatura eram completamente negros, sem nenhum ponto branco ou colorido, seus dentes eram afiados e pontudos e ela babava ao soltar sons guturais e ferozes. Aquele monstro que a atacava usava trapos amarrados à cintura e nada na parte de cima do corpo. Emily podia ver os músculos saltando, quando ele flexionava seus quatro braços que terminavam em mãos nojentas com garras afiadas no lugar dos dedos.

Emily tentou se defender, mas o forcado não causava nenhum dano à criatura, apenas escorregava em sua pele como se ela fosse feita de aço.

– Ataque os olhos! – Joel gritou, correndo na direção de Emily. Ele levantou seu bastão e bateu com toda a força na parte de trás da cabeça do monstro.

A pancada só distraiu a criatura por um momento, mas foi o suficiente. Emily foi em frente e enfiou os dentes do forcado nos olhos negros do monstro. Uivando raivosamente, ele caiu no chão e levou duas mãos ao rosto. Um líquido preto escorreu por entre seus dedos e pingou no chão de concreto. No local onde pingou, o chão começou a derreter e fumegar.

– Desça agora! – Joel exclamou enquanto levantava o bastão sobre a criatura que se contorcia.

– Não vou abandonar Pegs!

Ela correu para atacar outra das criaturas que estavam próximas do garanhão que, por sua vez, continuava empinado e chutado cinco monstros que o atacavam. Eles tinham entendido os danos que seus cascos dourados causavam e se mantinham fora do alcance de seus chutes. Em vez disso, avançavam e recuavam rápido, tentando acertar a parte debaixo dele que ficava exposta.

– Voe para longe, Pegs! – Emily gritou. – Fuja daqui!

Em vez de fugir, Pegasus relinchou raivosamente e caiu pesadamente nas quatro patas, depois abaixou a cabeça, investiu contra o grupo de monstros e foi na direção de Emily. Antes que a garota pudesse reagir, ele a pegou pela camiseta e a levantou sem esforço e, com um movimento rápido e fluido, a jogou por cima de sua cabeça e asas, fazendo com que ela caísse em suas costas.

Então correu até Joel e, do mesmo jeito que fizera com Emily, o agarrou pela camiseta, mas, em vez de jogá-lo em suas costas, apenas o segurou firme com os dentes e correu a toda velocidade para a beirada do prédio. Emily percebeu o que Pegasus estava planejando e se esticou para segurar sua crina espessa e alva. Um instante depois, ele se lançou no ar e abriu suas enormes asas brancas.

Aterrorizada, mas sem conseguir evitar, Emily olhou para baixo. Eles estavam acima da beirada do prédio, vinte andares acima da Rua 29.

– Cuidado, Emily; atrás de você! – Joel gritou pendurado na boca de Pegasus.

Emily se virou e gritou. Uma das criaturas havia pulado do prédio atrás deles, mas tinha calculado mal a distância e estava pendurada nas pernas traseiras do garanhão. Pegasus tentou dar um coice para se soltar, mas o monstro estava bem seguro e começou a cravar suas garras no traseiro do cavalo alado para subir até suas costas. Emily podia ver a fúria e a sede de sangue em seus olhos negros. Ele queria matar. Mais que isso, ele queria matar Emily.

Ela soltou uma mão da crina do garanhão, deslizou mais para trás e começou a chutar a criatura.

– Tome cuidado! – Joel falou, se esforçando para olhar para trás.

Ela sabia que a única chance que tinha era atacar os olhos do mostro, mas, cada vez que dava um chute, a criatura se esquivava dela. Emily se ajeitava em uma posição melhor para um novo chute quando uma mão grotesca se esticou e agarrou sua perna esquerda. Ela nunca tinha sentido uma dor como aquela quando a coisa apertou sua panturrilha. As garras afiadas rasgaram sua calça jeans e perfuraram sua pele, músculos e osso. Chorando de agonia, ela sentiu a criatura a puxar para baixo.

– NÃO! – ela gritou.

De repente, Pegasus fez uma manobra no céu e seguiram direto para a lateral de um prédio. Mas, um instante antes de colidirem, Pegasus bateu as asas e mudou de direção, fazendo com que a criatura batesse de costas em uma grande janela.

O vidro explodiu com o impacto e alguns pedaços se cravaram no traseiro do cavalo alado. Logo o sangue começou a escorrer e deixou suas costas escorregadias demais para a criatura conseguir escalar. Quando se recuperou do impacto brutal com a janela, o monstro não conseguiu mais se segurar tão bem. Ele soltou a perna de Emily e se esforçou para continuar se agarrando ao garanhão.

Aproveitando o momento, Emily se esticou para trás e começou a soltar os dedos da criatura do flanco de Pegasus. As garras soltas escorregaram e arranharam as pernas do cavalo alado antes de o monstro despencar os vinte andares até o chão.

– Você está bem, Emily? – Joel perguntou.

Ela não queria contar ao seu amigo sobre a perna.

– Estou, mas o Pegasus está sangrando! – Ela gritou para que Joel a ouvisse em meio a todo aquele vento. – Temos que pousar.

– Não aqui – Joel gritou de volta. – Veja!

Com todo o medo e a excitação do momento, Emily ainda não tinha conseguido pensar direito ou perceber que Pegasus tinha baixado bastante e mudado de direção. Agora eles voavam pela Quinta Avenida, a apenas oito ou nove andares do chão. Apesar do blecaute, havia milhares de turistas por ali e a maioria deles apontava para o cavalo voando acima deles.

– Mais alto, Pegs! Você tem que voar mais alto! – Emily exclamou.

Agarrada à crina dele, a garota podia sentir que o cavalo forçava suas asas para voar mais alto, mas não conseguia. Eles estavam perdendo altura aos poucos.

– O parque – Joel gritou. – Podemos nos esconder no Central Park!

Emily sentia muita dor, mas estava tão preocupada com Pegasus que nem ficou com medo por voar nas costas dele. Isso sem falar na asa quebrada, que mal tinha tido tempo de se curar. Agora ela segurava sua crina e rezava para que conseguissem chegar à segurança do parque.

– Vamos lá! – Emily o encorajou, já conseguindo ver as árvores a distância. – Só mais um pouco e poderemos parar!

Enquanto Pegasus se esforçava para se manter voando, Emily percebeu que eles estavam a apenas alguns andares do chão. Ela olhou para a asa quebrada e viu algo vermelho se espalhando pelas penas brancas, bem no local onde os ossos estavam quebrados.

Deslizando para a frente, alcançaram a Rua 59. O Central Park estava à esquerda.

– Entre no parque, Pegasus. Podemos nos esconder no meio das árvores!

Pegasus virou na direção do parque, mas o esforço foi demais para sua asa quebrada. Quando sobrevoaram o descampado, ela não resistiu e os ossos se quebraram novamente. Eles começaram a cair.

Capítulo 13

Emily acordou sentindo uma dor terrível. Suas costas doíam, seu ombro estava bem machucado e sua perna parecia estar pegando fogo. Ela ouviu vozes e sentiu algo molhado em seu rosto. Quando abriu os olhos, viu uma grande língua rosa lambendo sua bochecha, e então soltou um gemido fraco.

– Não se mexa – uma voz de homem falou. – Estou terminando de fazer os curativos.

Focando os olhos, Emily viu um jovem usando uniforme de soldado mexendo em sua perna com Joel, que segurava seu tornozelo para cima, enquanto o soldado começava a enrolar pedaços de pano no ferimento que sangrava. Sua calça jeans tinha sido cortada na altura do joelho. Ela podia ver os buracos fundos e os grandes ferimentos causados pela garra do monstro. Atrás deles, uma jovem mulher rasgava pedaços de uma toalha de mesa e os passava ao soldado.

Pegasus descansava no chão, ao lado dela. Um grande cobertor usado em piqueniques cobria suas asas. Ele lambeu o rosto de Emily novamente.

– Eu estou bem, Pegs – ela disse fracamente enquanto levantava a mão para acariciar o focinho dele. – O que aconteceu?

– continuou falando com a voz fraca e estremecida enquanto o primeiro nó era dado para apertar bem o pano em sua perna.

– Nós caímos – Joel explicou. – Carregar nós dois foi demais para o Pegasus. A asa dele se partiu e despencamos nos limites do gramado, mas por sorte não estava cheio de gente.

– Só nós estávamos aqui – o soldado falou. – E ainda bem, pois se estivesse cheio como sempre, vocês teriam causado um grave acidente. – Ele se inclinou para a frente e esticou a mão para Emily. – Sou o Eric e esta é minha namorada, Carol. Servi como médico no Iraque e achei que tinha visto muitas coisas estranhas por lá, mas não acreditei quando avistei vocês no céu!

– Eu ainda não estou acreditando – Carol completou nervosamente. – E estou bem aqui, olhando para vocês. Uma parte da minha mente diz que é real, e outra fala que vocês são apenas uma alucinação.

– Nós somos reais, pode acreditar – Joel falou –, e estamos com um problemão.

Eric terminou de dar o último nó no pano que prendeu à perna de Emily.

– Bom, isso resolve por enquanto, mas temos que levar você para o hospital assim que possível. Os cortes chegam até o osso, a parte muscular foi seriamente afetada e, pela aparência da coisa, vai precisar tomar antibióticos para conter a infecção.

– Não podemos ir para um hospital. – Emily se esforçou para levantar. A dor em sua perna a fazia se sentir enjoada. – Temos que ficar aqui com o Pegasus.

Eric se agachou e olhou para o garanhão.

– Um cavalo com asas – falou, sacudindo a cabeça. – Isso é incrível. O Pegasus existe de verdade.

– Sim, existe mesmo – Joel concordou. – Mas as criaturas que tentaram nos matar também existem. Se o Pegasus não tivesse voado do terraço do prédio, estaríamos todos mortos agora.

Joel explicou a Eric e Carol o que tinha acontecido nos últimos dias, e eles ouviram sem interromper. Quanto mais ouviam, mais Carol ficava com medo.

– O que quer que sejam – Joel concluiu –, aquelas coisas ainda estão por aí, e nada parece conseguir detê-las. Fiquei olhando a criatura que o Pegasus derrubou. Depois de atingir o chão ela se levantou e tentou nos seguir!

Emily não sabia daquilo.

– Mas ela caiu de uma altura de vinte andares! Como pode ter se levantado?

Joel deu de ombros.

– Não sei. E também não sei como eles rastreiam o Pegasus, mas estão fazendo isso. As criaturas pareciam saber que ele estava naquele terraço com a gente.

– Mal consigo acreditar em tudo isso! – Eric falou. – Pegasus em Nova York? Monstros terríveis de quatro braços?

– Eu juro que é verdade – Emily falou. – E eles querem matar o Pegs.

– Não estou dizendo que não acredito – Eric respondeu. – Estou olhando para o Pegasus e também vi o estrago que a coisa fez em sua perna. Mas de onde eles vieram?

Emily se lembrou de algo que seu pai lhe contou.

– Dos esgotos embaixo da cidade! Meu pai é policial e disse que tem ouvido relatos de pessoas afirmando que demônios de quatro braços estão saindo dos esgotos. Essas pessoas eram dispensadas como se fossem loucas, mas aposto que eram os mesmos monstros!

Eric sacudiu a cabeça.

– Se essas criaturas estão soltas em Nova York, temos que avisar o exército.

– Não podemos – Emily disse rapidamente. – A UCP já capturou outro Olímpico. Se descobrirem o Pegasus, também o levarão embora.

– O que é UCP? – Carol perguntou.

Um calafrio atravessou Eric e ele segurou a mão da namorada.

– Você não vai querer saber. Eles são uma agência governamental terrível. Não vai querer que venham atrás de você, pode acreditar em mim.

– Agora já era – Joel falou. – Metade da cidade nos viu voando sobre a Quinta Avenida. Se ainda não sabiam sobre nós, agora já sabem.

– Então temos que sair daqui! – Emily tentou se levantar, mas a dor em sua perna a fez se sentar de novo.

– Você não vai a lugar nenhum com essa perna, a não ser para o hospital – Eric falou.

– Mas já disse que não posso ir para o hospital! – Emily insistiu, tentou ficar em pé de novo e caiu. Finalmente ela olhou para Joel. – Por favor, me deixe aqui e vá esconder o Pegasus lá no meio das árvores. E não deixe a UCP ou aquelas criaturas pegarem ele.

Pegasus bufou e sacudiu a cabeça. Emily se virou para ele.

– Eles estão atrás de você, não de mim, e não podemos deixar que o peguem, por isso precisa ir com o Joel.

– Ele entende a gente? – Eric perguntou, parecendo ainda mais impressionado.

Emily fez que sim com a cabeça.

– Por favor, Pegasus, vá com o Joel!

O garanhão bufou mais uma vez e, teimando, fez que não com a cabeça.

– Então iremos todos juntos! – disse Joel, tomando uma decisão. – Mas precisamos sair deste lugar aberto e nos esconder agora mesmo.

Todos se levantaram, inclusive Pegasus. Quando Joel pegou Emily no colo, o garanhão o cutucou.

– Está tudo bem, Pegasus – Joel garantiu a ele. – Ela vai com a gente.

O cavalo o cutucou de novo.

– Está tudo bem – Joel insistiu.

Mas Pegasus o cutucou outra vez.

– O que você quer? – Joel se virou para o garanhão.

– Ele quer me carregar – disse Emily ao ver o jeito que Pegasus olhava para ela.

– Mas como? – Joel perguntou. – A asa dele está quebrada de novo e o monstro e os cacos de vidro fizeram um belo estrago nele também. É capaz de ele cair e derrubar você!

Emily viu a promessa de proteção nos olhos de Pegasus.

– Isso não vai acontecer. Me coloque em cima dele.

Joel resmungou e acomodou Emily nas costas de Pegasus, murmurando para si mesmo:

– Não acredito que estou recebendo ordens de um cavalo!

Pegasus deixou o insulto passar dessa vez, ficando imóvel e quieto enquanto Joel ajeitava Emily em cima do cobertor que havia sobre ele e os levava até a densa cobertura de árvores do parque que os protegeria.

– Eric – Emily chamou –, já que você é médico, acha que consegue cuidar de uma asa quebrada?

– A asa dele, você quer dizer? – ele respondeu apontando para Pegasus. – Talvez. Mas ele vai deixar?

Emily deu um tapinha no pescoço musculoso do garanhão.

– Tudo bem, Pegasus? Sua asa precisa ser consertada de novo, e o Eric é melhor nisso do que eu e o Joel.

Como Pegasus não bufou nem protestou, eles tomaram aquilo como uma permissão. Emily foi tirada de suas costas e ficou em pé apoiada na cabeça do animal enquanto Eric e Joel trabalhavam para arrumar a asa. Três pedaços de galhos foram usados como talas e Carol rasgou o que sobrara da toalha para amarrar em volta do local. Quando terminaram, Eric pôs as mãos na cintura.

– Fui treinado para fazer muitas coisas estranhas, mas duvido que o exército pudesse preparar alguém para isso!

– Muito obrigado – Emily falou. – Sei que o Pegasus também agradece.

– Todos estamos agradecidos – Joel acrescentou. – Agora precisamos de muito açúcar.

Emily percebeu que Eric ficara confuso e explicou:

– Açúcar e comidas doces parecem ajudá-lo a se recuperar mais rápido. O Joel acha que é porque o açúcar é parecido com a ambrosia, que é o alimento lá do Olimpo.

– Temos bolo de chocolate – Carol ofereceu, segurando a cesta de piquenique. – Acha que ele vai gostar?

Emily assentiu com a cabeça.

– Ele gosta de sorvete de chocolate. Aposto que vai gostar de bolo também.

Quando Carol tirou o grande bolo da cesta, Pegasus sentiu o cheiro do açúcar e se aproximou. Ela mal teve tempo de tirar a cobertura de plástico antes de ele começar a mastigar o bolo vorazmente.

– Já é um começo – Joel falou –, mas ele vai precisar de muito mais que isso; este garanhão come demais!

– Bom – Eric falou –, minha mãe tem amigos que moram nas redondezas. Não há lojas perto do parque; as pessoas têm que pedir comida para viagem, mas vimos algumas lojas abertas na Terceira Avenida, vou até lá ver o que encontro.

– Vou com você! – Carol falou na mesma hora, e depois se virou para Joel e Emily. – Fiquem aqui; a gente já volta.

Quando partiram, Joel foi até Emily.

– Acha que podemos confiar neles? Eric é do exército; e se ele ligar para alguém assim que sair do parque?

– Não sei – ela respondeu –, mas temos alguma alternativa?

– Tive uma ideia! – Joel respondeu.

Ele correu até Eric e Carol. Emily pôde ouvi-lo se oferecer para ir junto e ajudar a trazer as compras pesadas, e pediu a Carol que ficasse com Pegasus e ela. Mesmo a distância, dava para ver os olhos arregalados e assustados de Carol.

– Mas e se as criaturas nos encontrarem? – ela falou. – Ou então a UCP?

– Eles estavam lá na Rua 29 – Joel garantiu. – Tenho certeza que não são tão velozes assim.

– O Joel tem razão – Eric concordou. – Não vamos demorar. Fique aqui, por favor, enquanto tentamos achar comida. – Ele olhou para Emily. – Se você acha que sua perna está doendo agora, vai ver só depois. À noite, estará gritando de dor. Tentarei trazer um antisséptico, bandagens e algo para tratarmos isso.

Carol concordou com relutância, mas sua expressão mostrava que ela não tinha ficado nem um pouco feliz com aquilo. Joel colocou Emily nas costas de Pegasus e todos caminharam mais para o meio das árvores.

– Tentem ficar escondidos – Joel alertou. – Voltaremos o mais rápido possível. – Ele deu um passo para trás e olhou para Emily em cima de Pegasus. – Sabe que com esse cobertor cobrindo as asas e você sentada aí, ele quase parece um cavalo comum?

– A não ser por ele parecer mais alvo que o branco normal – Eric acrescentou. – Perceberam como ele quase brilha?

– Achei que era um problema com meus olhos – Joel retrucou. – Mas é verdade, ele é muito brilhante. Talvez tenhamos que fazer algo a respeito disso também.

– O que, por exemplo? – Emily perguntou. – Cobri-lo com lama?

– Não sei – Joel respondeu. – Vou pensar no assunto.

Quando Joel e Eric partiram, Emily e Carol quase não se falaram. Emily percebeu que ela estava aterrorizada, mas não tinha certeza se era apenas das criaturas ou também por passar um tempo quase sozinha com Pegasus. Seus olhos arregalados procuravam por algo em todos os lados e ela pulava a cada pequeno som diferente. Os esquilos nas árvores próximas quase a fizeram chorar. Emily ficou feliz ao ouvir seu celular tocar. Quando o abriu, viu o nome de seu pai na tela.

– Pai, que bom que é você...

– Emily! – Ele a interrompeu com certa urgência. – Graças a Deus! Não fale, apenas me ouça. Não diga onde está, a UCP provavelmente está ouvindo a gente. Sei o que aconteceu! Sei sobre o apartamento, o cavalo alado e o voo de vocês sobre a Quinta Avenida! Eles estão atrás de você, Em. Onde quer que esteja, não fique parada, você precisa partir e se manter em movimento.

– Pai, eu... – Emily começou a falar enquanto seu coração batia forte. – Tem uns monstros de quatro braços na cidade!

– Eu sei! Os tiros não surtem efeito. Eles estão rumando para o norte da cidade. Ouça bem o que vou dizer, Em. Lembre-se de Robin. Pense nele e eu estarei lá!

– O quê? Não entendi, pai! – respondeu amedrontada.

– Não temos mais tempo. Me desculpe, querida, mas você precisa destruir seu celular ou eles vão rastreá-lo. Destrua agora. Eu te amo, Emily! Lembre-se de Robin!

A ligação caiu. As mãos de Emily tremiam quando fechou o celular. Rapidamente ela abriu a parte de trás, tirou a bateria e jogou tudo no chão.

– Pise nisso, Pegs! – ela pediu. – Você precisa destruir meu celular!

Com seu casco dourado, Pegasus pisou com tudo no telefone e, quando terminou, não havia sobrado nada exceto vários pedacinhos irreconhecíveis.

– O que aconteceu, Emily? – Carol estava prestes a entrar em pânico.

Dessa vez Emily também estava com medo.

– As criaturas estão vindo atrás de nós. – Ela olhou na direção para onde Joel e Eric tinham ido. – Espero que eles não demorem. Meu pai falou que a UCP está atrás de nós também.

Capítulo 14

Paelen não tinha certeza de quanto tempo tinha passado naquele lugar estranho e terrível. Sem janelas, não havia como manter uma noção de tempo, mas cada dia que passava se tornava pior que o anterior.

Ele foi levado a outro laboratório e, dessa vez, não tiraram mais amostras do seu precioso sangue nem o ligaram a máquinas que o estudavam. Também não colocaram luzes brilhantes em seus olhos e nem pegaram pedaços de sua pele para testar. Em vez disso, o homem mais velho, a quem chamavam de agente J, mandou que o prendessem em uma desconfortável cama de metal, situada de frente para uma grande tela branca que parecia brilhar como cetim.

– Assista isso! – o agente J ordenou.

As luzes foram apagadas e a tela se acendeu. As cores da imagem eram quase como os mosaicos coloridos que havia em volta do Olimpo. Quase. Estudando as estranhas imagens, Paelen reconheceu os prédios altos que avistou quando chegou a este estranho mundo na noite da tempestade.

– Reconhece alguma coisa? – o agente J perguntou.

– É o seu mundo – Paelen respondeu, olhando com curiosidade para o agente e tentando adivinhar qual seria a nova tortura.

– É sim. Nós chamamos de Nova York.

– Nova York – Paelen repetiu. – É muito bonita. Obrigado por me mostrar. Posso ir agora?

– Não, não pode – o agente respondeu. – Fique sentado onde está e continue assistindo.

Paelen virou novamente para a tela e viu imagens diferentes da cidade, algumas tiradas do céu e outras do chão. Depois mostraram uma coleção de fotos de várias pessoas que ele não conhecia e, enquanto as imagens iam passando, percebeu que todos na sala o estudavam.

– Sabe quem são? – o agente J perguntou quando a imagem mudou novamente.

Paelen olhou para a imagem de muitos pombos em um parque.

– Pássaros – ele respondeu. – Também temos pássaros no Olimpo. Júpiter fica furioso quando eles sujam a estátua dele.

– Tenho certeza de que ele fica bravo – o agente respondeu com sarcasmo. – E isso?

Paelen viu a imagem de um cão, e depois outra do mesmo cão com seu dono.

– Também temos cães por lá – respondeu. – E temos o Cérbero. Ele tem três cabeças e é bem malvado. Vocês têm um Cérbero aqui?

– Não – o agente J respondeu. – Mas recentemente descobrimos que temos alguns desses aqui.

Os olhos de Paelen se arregalaram quando a foto do cão foi substituída por várias criaturas de quatro braços andando pelas ruas da cidade.

– Nirads! – ele exclamou.

– Do que os chamou? – perguntou o agente J chegando mais perto.

– Nirads – Paelen repetiu. Ele estava chocado e não conseguia desgrudar os olhos da imagem dos invasores furiosos.

– Quem são esses monstros? Eles também vieram em sua nave espacial?

Paelen ignorou a pergunta e olhou com medo para o agente J.

– Eles estão mesmo neste mundo?

– Sim – ele respondeu –, e estão causando tumulto e destruição na cidade. Contamos pelo menos vinte, mas recebemos relatórios de outros avistamentos. É praticamente impossível pará-los! Conseguimos capturar apenas dois, mas eles são tão fortes e ferozes que não podem ser sedados. Nós os prendemos em outro prédio de segurança máxima. Agora me diga, o que são eles? Você pode controlá-los?

– Controlar esses monstros? Eu? – Paelen falou alto e depois fez que não com a cabeça. – Ninguém controla os Nirads. Eles são criaturas selvagens com instinto assassino, além de serem indestrutíveis! Você precisa me soltar, por favor. Eles me seguiram lá do Olimpo, preciso fugir. Eles me matarão se me encontrarem aqui. – Paelen lutou com a cadeira, desesperado para se soltar. – E matarão todos vocês também.

– Quem são eles? – o agente quis saber.

– São os destruidores do Olimpo! – Paelen exclamou.

– Já chega! – o agente exclamou. – Estamos no meio da maior crise de segurança que este país já enfrentou e você continua falando sobre o Olimpo? – Ele se inclinou para Paelen até que seus rostos ficassem a apenas centímetros de distância. – O

Olimpo não existe, é apenas um mito criado por mentes fracas em um tempo de necessidade. Agora me diga, de onde você veio? Onde está sua espaçonave?

– Não sei o que quer de mim – Paelen falou. – Digo que sou do Olimpo, mas você afirma que é apenas um mito. Por que fica insistindo que eu venho das estrelas?

– Porque alienígenas existem, o Olimpo não! – respondeu com impaciência.

Paelen recuperou o controle.

– Mas é claro que o Olimpo existe! – exclamou indignado. – É de onde venho e não gosto que diga que é um mito. Não somos mitos! Quanto aos Nirads, tudo o que sei é que eles destruíram meu lar. O Olimpo está em ruínas. Agora eles me seguiram até aqui e não sei por quê.

O agente J se endireitou e, furioso, virou-se para a tela.

– Muito bem, está dizendo que eles estão atrás de você? Se isso é verdade, por que os *Nirads* estão perseguindo *eles*?

Na tela, Paelen viu a foto de Pegasus deslizando pelo ar no meio do labirinto de prédios. A imagem não era tão clara quanto a dos Nirads, mas Paelen podia ver dois jovens humanos com o garanhão, que parecia ter novos ferimentos em seu traseiro. Mesmo a imagem não sendo muito clara, Paelen conhecia Pegasus o suficiente para perceber o terror em sua face.

– Por que eles estavam atacando aquele cavalo e as duas crianças? – perguntou o agente.

Paelen quase gritou "Pegasus não é um cavalo!", mas conseguiu segurar o comentário, pois percebeu que já tinha cometido um erro terrível revelando tudo o que já tinha contado. O choque de ver os Nirads naquele mundo tinha feito ele baixar a guarda, mas não iria cometer o mesmo erro de novo.

– Não sei.

– Você está mentindo! – o agente disparou. – Vi em seu rosto que os reconheceu. Aqueles garotos são seus amigos? Vocês são do mesmo planeta? E o cavalo alado, como é possível ele voar?

– Ele voa porque tem asas – Paelen respondeu sarcasticamente. – Imaginei que até mesmo você poderia entender isso sozinho, mas eu já respondi suas perguntas. Não sei quem são. Por favor, me solte antes que os Nirads cheguem aqui.

O olhar de Paelen acompanhou o agente J, que foi até um homem de avental branco.

– Pode dar o soro – Paelen ouviu. – Ele não está falando o que queremos saber.

Momentos depois, o homem de avental injetou algo no braço de Paelen. Quando a droga correu por suas veias, o rapaz começou a sentir o que era ser como a Medusa. Sua cabeça estava cheia de cobras raivosas se retorcendo e suas veias queimavam como fogo. Ele não conseguia mais enxergar claramente.

Quando Paelen estava se sentindo o pior dos piores, o agente J repetiu as mesmas perguntas que havia feito momentos antes: de onde tinha vindo, quem eram os Nirads, quem eram os garotos com o cavalo alado e por que as criaturas queriam matar todo mundo.

Apesar da sensação das cobras se espremendo em sua cabeça, Paelen ainda tinha controle completo de seus pensamentos. Ele não iria responder as perguntas e, especialmente, não trairia Pegasus. Então, como sempre, Paelen fez o que fazia melhor: mentiu. Ele contou ao agente J a história mais extraordinária que conseguiu imaginar.

Dessa vez, afirmou que era Hércules, filho de Júpiter e herói do Olimpo. Depois contou em detalhes todos os seus feitos como Hércules, relatando uma história incrível atrás da outra e assumindo todas as glórias para si. Quanto mais ele falava, mais nervoso o agente ficava.

Quando ficou furioso, começou dar tapas violentos no rosto de Paelen, mas em vez de machucar, os golpes serviram para clarear sua mente das cobras e do fogo que corria por seu corpo. Paelen recebeu os golpes em silêncio. Do mesmo jeito que antes, a força humana não era nada comparada ao soco que levara do verdadeiro Hércules por roubar coisas dele.

Quando outras pessoas foram segurar o agente, Paelen deslizou a mão no bolso de um dos ajudantes e pegou a chave das algemas e, apertando-a bem em sua mão, fingiu desmaiar.

Ele ouviu a respiração ofegante do agente J quando este foi afastado dele.

– Terminamos por hoje – o agente soltou. – Levem-no embora antes que eu o mate!

Paelen ficou totalmente imóvel e com os olhos fechados. Dois assistentes o levantaram em uma maca e o levaram de volta ao seu quarto. Depois o colocaram na cama e prenderam as algemas em suas barras laterais.

– Moleque idiota! – Paelen ouviu um deles murmurar. – Se continuar pressionando o agente J desse jeito, o homem vai mandar ele ser fatiado, cortado e colocado em potes de vidro!

– Antes ele do que nós – o outro falou. – De onde acha que ele vem?

– Não sei e nem quero saber.

– E o que acha que farão com ele?

– Acho que vão esperar até capturarem todos os outros seres estranhos. Então interrogarão muito a todos, até que ponham as tripas pra fora. Depois, quando não houver mais nada a ser contado, farão o que sempre fazem. Congelarão todos eles.

– Que pena – o segundo assistente falou. – Eu até que gosto desse garoto. Ele tem um fogo dentro de si e é o primeiro que vi levar a melhor sobre o agente J. Vamos falar a verdade aqui, o cara precisa melhorar aquele temperamento e este garoto é a pessoa certa para isso!

– Se ele viver o suficiente.

Quando terminaram de garantir que ele estava bem preso, Paelen ouviu os dois rumando para a porta.

– Bom, meu turno acabou. Hora de ir embora – ouviu um deles dizer. – Quer tomar uma cerveja comigo e os outros rapazes mais tarde?

Paelen ouviu os bips da fechadura. Quando a porta se fechou, ainda permaneceu imóvel por um momento, e então finalmente abriu os olhos e viu que estava sozinho.

Ele ainda não conseguia acreditar que havia Nirads naquele mundo. O agente J tinha razão em uma coisa: os Nirads estavam atrás de Pegasus, e não dele. Tentando fazer com que seu coração batesse mais devagar, Paelen relembrou a última coisa que tinha visto no Olimpo, como os Nirads estavam especificamente indo atrás de Pegasus. Se Diana não tivesse intervindo, eles certamente teriam matado o garanhão.

Mas por que os Nirads queriam matar Pegasus? E por que havia dois humanos com ele? Paelen percebeu que as respostas não seriam encontradas naquele lugar estranho e horrível; era preciso fugir dali.

Ele então se lembrou das últimas palavras de Mercúrio, moribundo, implorando que ele se juntasse à luta pelo Olimpo.

Para sua vergonha, Paelen virara as costas para seu povo e fugira da batalha. Mas a batalha o seguiu até aquele mundo. Ele não podia dar as costas novamente. Paelen iria escapar daqueles humanos, encontraria Pegasus e, então, finalmente, entraria na luta.

Capítulo 15

Emily sentiu o terror crescendo dentro de si enquanto estava sentada nas costas de Pegasus esperando os outros voltarem. Parecia que tinham se passado horas desde que Eric e Joel partiram, mas finalmente houve um movimento nas árvores e ela ouviu Joel chamando o seu nome.

– Estamos aqui! – disse Emily. – Se apressem!

Eric e Joel surgiram momentos depois.

– Estamos com problemas – Eric falou enquanto colocava as compras no chão e abraçava a namorada. – Todas as folgas militares foram canceladas. Recebi ordens de me encontrar com a minha unidade não muito longe daqui. Parece que há uma ameaça na cidade.

– Nós somos a emergência – Emily falou. – Meu pai ligou. A polícia sabe sobre o Pegasus, nosso voo sobre a Quinta Avenida e também a respeito das criaturas. Ele disse que a UCP também está atrás da gente.

Eric assentiu.

– E estão nos convocando para ajudar a encontrar vocês. Me desculpe, mas preciso ir embora.

– Você não vai dizer onde estamos, vai? – Emily perguntou com medo.

– É claro que não! – Eric respondeu. – Farei tudo o que puder para levá-los para longe de vocês. Mas eles também estão atrás daquelas criaturas, e farei o que puder para ajudar a detê-las.

– Boa! – Joel falou. – Quando acertei uma delas na cabeça com um bastão de beisebol, isso só a fez hesitar por um momento. Mesmo a queda de vinte andares não fez com que a coisa parasse.

– Sendo assim, a cidade tem muito mais com o que se preocupar do que ir atrás do Pegasus – disse Eric pegando Carol pela mão. – Precisamos ir. Quero que saiam da cidade o mais rápido possível.

Carol sorriu timidamente, virou-se para Emily e deu de ombros.

– Sinto muito que estejam nessa enrascada, garotos, mas simplesmente não tenho estômago para isso.

– Eu entendo – Emily respondeu calmamente. Se tivesse escolha, também adoraria fugir. Mas não podia, pois Pegasus ainda precisava dela.

Eric anotou dois nomes e números de telefone em um pedaço de papel que tirou do bolso.

– Memorizem se puderem – falou entregando a Emily. – São os telefones do meu irmão no Brooklyn e dos meus pais em Nova Jersey. Ligue para eles se ficarem sem saída. Meu pai é ex-militar; diga que eu falei para vocês ligarem e eles os ajudarão. Gostaria de poder fazer mais, mas a cidade está um inferno e preciso ir.

Quando ele e Carol começaram a se afastar, Eric ainda continuou:

– Tem bandagens e antisséptico nas sacolas; limpe sua perna o mais rápido possível. E não se esqueça de decorar os números de telefone, pode ser que precisem deles.

– Pode deixar! – Emily prometeu. – Muito obrigada por tudo.

– Boa sorte, garotos! Que Deus os abençoe! – Eric dizia, acenando enquanto ele e Carol desapareciam por entre as árvores.

Quando se foram, Emily começou a tremer.

– O que vamos fazer, Joel? A UCP está atrás de nós!

Ele deu de ombros.

– Não sei, mas não podemos fazer nada até que escureça. – Então começou a mexer nas sacolas. – Se tivermos sorte, a UCP e o exército vão se concentrar em achar as criaturas antes de virem atrás de nós. Enquanto isso, vamos alimentar o Pegasus e limpar essa sua perna.

Quando o sol começou a se pôr, Emily e Joel limparam e cuidaram dos cortes no traseiro de Pegasus, depois de terem feito o mesmo com a perna de Emily. O remédio estava fazendo efeito e ela se sentia bem melhor.

– Pelo menos agora sabemos quem enfiou aquela lança no Pegasus – disse Emily enquanto passava gentilmente um creme antisséptico em um ferimento na perna traseira do animal.

– Mas a questão agora é: por quê? – Joel perguntou.

Emily deu um beijinho no focinho do garanhão, depois se sentou e pegou uma maçã. Antes que a fruta pudesse chegar em sua boca, seus olhos se arregalaram.

– Robin! – ela exclamou.

– Como? – Joel correu até ela. – O que aconteceu?

– A última coisa que meu pai me disse foi para que eu me lembrasse de Robin! – Emily se apoiou em Joel e, dolorosamente, ficou em pé. – Não tinha entendido o que ele queria dizer, pois era um código para o caso de a UCP estar ouvindo, mas agora me lembrei!

– Lembrou o quê? Do que você está falando, Emily?

Enquanto falava, Emily foi guardando as coisas na cesta de piquenique de Eric e Carol.

– Quando eu era bem pequena, meus pais me traziam ao parque e a gente ia até uma área bem escondida na extremidade norte. Meu pai fingia que era o Xerife de Nottingham, minha mãe era a Lady Marion e eu era o Robin Hood! Todo domingo a gente vinha aqui e brincava de luta de espadas.

– Ainda não entendi nada... – Joel disse confuso.

– Antes de desligar, meu pai disse para eu me lembrar de Robin e depois falou que estaria lá. Entendeu agora? Ele estava me dizendo para levar você e o Pegasus para o lugar onde brincávamos de Robin Hood. É uma área muito reservada, ninguém nos encontrará. Poderemos nos esconder por um tempo e planejar o que faremos a seguir.

– E o que estamos esperando, então? – Joel exclamou. – Vou colocar você em cima do Pegasus e seguiremos em frente!

Permanecendo na segurança das árvores, eles caminharam para o norte do parque. O sol finalmente se pôs, por isso a maior parte do caminho foi feita no escuro. Enquanto seguiam, ouviram os sons de vários helicópteros sobrevoando o Central Park e, olhando para cima, por entre as árvores, viram as luzes brilhantes de buscas apontadas para baixo.

– Estão procurando a gente – disse Joel sombriamente.

Emily olhou para Pegasus e percebeu que ele estava ainda mais branco no escuro, não se parecendo mais com um cavalo comum. Não havia dúvida de que ele era diferente. Se acertassem o facho de luz no garanhão não haveria escapatória.

– Joel, espere, temos que parar. Me ajude a descer, por favor.

– Não podemos parar, temos que nos encontrar com seu pai na área... – Ele parou quando viu Emily se esforçando para descer sozinha. – O que foi? – perguntou enquanto a ajudava. – Qual o problema?

– Você brilha de tão branco que é, Pegs! Temos que fazer algo em relação a isso. – Depois se virou para Joel. – Ele não estava assim quando o encontrei lá no teto do meu prédio, e mesmo a noite passada o branco não era tão brilhante. Mas olhe agora, ele parece brilhar mais a cada minuto!

– Tem razão, ele está brilhando cada vez mais.

Joel colocou a cesta de piquenique no chão e começou a mexer nas coisas dentro dela.

– Enquanto estávamos fazendo compras eu tive uma ideia. Trouxemos o máximo que pudemos.

– O que vocês compraram?

Joel levantou um pacote, mas, no escuro, Emily não conseguiu ver o que era.

– O que é isso?

– Tintura de cabelos – Joel explicou. – Mas temos um pequeno problema: não são todas da mesma cor. Temos castanho escuro e preto. – Ele fez uma pausa e depois acrescentou. – E também não são da mesma marca. Acha que isso pode causar algum problema?

Emily deu de ombros.

– Não sei. Eu ajudava minha mãe a pintar os cabelos, mas ela sempre usava o mesmo tipo de tintura. Nem sei se isso funcionará em um cavalo.

E, outra vez, Pegasus reclamou quando o chamaram de cavalo.

– Desculpe, Pegs – Emily falou e fez um carinho na face dele. – Você entendeu o que eu quis dizer. Esse produto é feito para humanos, espero que não machuque você.

– Temos que tentar – Joel falou. – Ele está brilhando como uma estrela. Não vai demorar para a UCP nos encontrar se continuar assim. Não é tão ruim de dia, mas agora ele parece um sinalizador.

Logo, a decisão de usar a tintura de cabelo estava tomada. Eles caminharam mais um pouco entre as árvores até encontrarem um dos muitos laguinhos do Central Park. A maior parte do trabalho seria feito sob a cobertura das árvores. Eles só iriam se arriscar a ficar expostos quando tivessem que enxaguar o Pegasus.

– Você começa com a cabeça e a crina e eu faço o rabo e a parte de trás. Podemos nos encontrar no meio – Joel sugeriu. – Está escuro, não dá para ler as instruções, você sabe o que fazer?

Emily explicou que primeiro sua mãe misturava os produtos, antes de aplicar no cabelo. Os dois colocaram as luvas de borracha que vinham com as tinturas e começaram a trabalhar.

– Me desculpe, Pegs – Emily disse enquanto aplicava o líquido negro e com cheiro forte em seu belo rosto –, mas isso é para ajudar a escondê-lo. Vamos fazer com que se pareça com um cavalo comum de cor escura. Assim, se alguém vir você, não vai descobrir sua verdadeira identidade tão facilmente.

Cobrir o garanhão pareceu demorar séculos e eles usaram toda a tintura que tinham, tomando cuidado para não espirrar nada nas penas das asas. Quando terminaram, Emily tirou suas luvas de borracha.

– Agora temos que esperar – afirmou e se sentou, cansada de todo o trabalho. Sua perna estava começando a doer bastante. – Demorava uns trinta minutos para a cor pegar bem na minha mãe.

– Então vamos esperar uns trinta e cinco – Joel respondeu olhando seu relógio digital e se sentando ao lado dela.

Enquanto esperavam, continuaram ouvindo o interminável som dos helicópteros vasculhando o parque. Eles passaram mais de uma vez bem em cima dos garotos, mas a cobertura das árvores impediu que fossem vistos.

– Deu o tempo – Joel finalmente falou e ajudou Emily a se levantar.

– Vamos enxaguar você, Pegs – Emily falou enquanto colocava um novo par de luvas.

Saindo da proteção das árvores, olharam para cima a fim de checar a posição dos helicópteros. Os militares estavam concentrando seus esforços do outro lado do parque. Pegasus entrou nas águas escuras do lago e Emily começou a segui-lo.

– Pode parar, Emily! – Joel levantou uma mão em sinal de aviso.

– Mas eu posso ajudar! – ela protestou.

– É claro, e sua perna pode piorar muito com essa água imunda – Joel retrucou. – Fique aí na margem e preste atenção em tudo. Me avise se alguém estiver vindo.

Emily se ressentiu de alguém dizer a ela o que fazer, afinal, podia ajudar tanto quanto ele, mas, no fundo, sabia que Joel tinha razão. Sua perna latejava bastante, tinha algo muito errado com ela e entrar na água suja poderia piorar muito as coisas.

– Tudo bem – ela concordou –, mas faça isso o mais rápido que puder.

Parada na margem, Emily assistiu nervosamente os helicópteros sobrevoarem o parque enquanto Joel levava Pegasus mais para o fundo. O garanhão afundou e Joel o esfregou rapidamente.

– Depressa! – Emily falou quando dois helicópteros se separaram dos outros e começaram a se mover na direção em que estavam. – Estão vindo pra cá!

Os helicópteros eram rápidos demais. Não daria tempo de Joel e Pegasus saírem da água antes de chegarem onde estavam.

– Se abaixe! – Joel gritou e ele e o garanhão afundaram.

Emily mal teve tempo de correr para as árvores antes que um facho de luz brilhasse bem no lugar onde estava parada antes. Com o coração acelerado, Emily observou o progresso dos helicópteros, que continuaram indo para o norte.

– Tudo bem! – ela gritou enquanto mancava de volta para a beira do lago.

Joel e Pegasus cautelosamente levantaram suas cabeças acima da superfície. Com mais urgência ainda, o garoto terminou de enxaguar o garanhão. Pegasus emergiu das águas parecendo escuro como a noite, apesar de suas asas ainda serem brancas e muito brilhantes. Enquanto Emily as cobria com um cobertor, uma voz nova os surpreendeu.

– O que fizeram com ele?

Uma mulher alta surgiu e se aproximou rapidamente. Ela vestia trapos sujos, mas tinha elegância e autoridade ao caminhar. Segurava uma longa lança com a ponta afiada e que brilhava como ouro. Seus olhos eram de um azul elétrico e também brilhavam na escuridão.

– Como ousaram tocar nele? – ela desafiou empurrando Emily para o lado e indo em direção a Pegasus. – E que coisa horrível foi essa que fizeram com ele?

Então ela se dirigiu ao garanhão.

– Como pôde deixar essas crianças tolas tocarem em você desse jeito?

– Desculpe – Joel falou –, mas ele é nosso.

– Pegasus não pertence a ninguém – a mulher respondeu furiosa. Depois se virou novamente para o cavalo alado e sua voz se suavizou. – Olhe só para você, meu velho amigo. Está parecendo um cavalo de arado.

Enquanto continuava examinando Pegasus, o garanhão relinchou animado. Ela encostou a testa nele e baixou a voz.

– Nós tombamos, Pegasus – falou tristemente. – Meu pai está acorrentado. Apolo está morto e o Olimpo está em ruínas. Os Nirads nos derrotaram.

– Nirads? – Emily perguntou com cuidado.

A mulher olhou para a perna machucada de Emily.

– Posso sentir o cheiro deles em sua perna – ela falou. – Você lutou com os Nirads? Tem sorte de ainda estar viva.

– É esse o nome daquelas criaturas de quatro braços? – Joel perguntou. – Nirads?

A mulher confirmou com a cabeça.

– Eles assassinaram meu irmão e muitos outros e conquistaram o Olimpo.

– Apolo, que você disse que mataram, era seu irmão? – Joel perguntou sem fôlego. – Você... você é Diana?

– Esse é um dos meus nomes – a mulher alta respondeu e depois o estudou por um momento. – E você é romano.

O som de helicópteros se aproximando acabou com a conversa.

– Por favor, Diana – Joel rogou a ela. – Sei que é uma grande guerreira, mas acredite em nós... não pode ficar aqui. Aquelas máquinas voadoras vão nos capturar. Temos que nos esconder.

– Esconder? – ela repetiu confusa. – Eu não me escondo em uma batalha!

– Mas agora você terá que fazer isso – Emily falou e se moveu até Pegasus. – Vamos, Pegs. Temos que ir antes que vejam você.

Pegasus relinchou suavemente para Diana, mas seguiu Emily se afastando do lago.

– Pegs? – Diana repetiu enquanto ia atrás deles. – Eu ouvi você chamá-lo de Pegs?

Quando estavam a salvo sob a cobertura das árvores, Emily se virou para ela.

– Ele não liga, e acho que é um nome fofo.

Diana não estava acreditando.

– Fofo? Tem alguma ideia de sobre quem está falando, criança? Este é Pegasus, o grande garanhão do Olimpo! Fazê-lo sofrer tamanha indignidade está além de qualquer tolerância.

– Mas é claro que sei quem é o Pegasus! – Emily retrucou enquanto acariciava o focinho preto do garanhão. – Mas ele também é meu amigo.

– Pare, Emily – Joel alertou com medo. – Você não entende com quem está falando. É melhor demonstrar mais respeito!

– Respeito? – ela repetiu. – E onde está o respeito dela por mim? – Então se virou para Diana. – Se o Pegs não liga de eu chamá-lo assim, por que você se importa?

– Sua pequena insignificante e insolente! – Diana exclamou, se aproximou e levantou a mão para acertar Emily. – Você precisa aprender qual o seu lugar...

Pegasus rapidamente se colocou entre as duas. Depois olhou para Diana e soltou uma série de sons estranhos. A expressão no rosto dela se suavizou. A mulher alta olhou várias vezes para Emily antes de abaixar a cabeça.

– Me desculpe, meu comportamento foi imperdoável. Pegasus acabou de me contar o que você fez por ele e como o ajudou. Me perdoe, por favor. Eu testemunhei a derrota de meu pai, o assassinato de meu irmão e a destruição de meu lar. Não estou no meu melhor momento.

Emily franziu a testa. Diana conseguia entender Pegasus? Ela olhou com inveja e uma boa dose de ciúme para a mulher e, secretamente, desejou que também fosse uma Olímpica, pois assim poderia se comunicar de verdade com Pegasus.

– Eu entendo – Emily finalmente respondeu. – Sinto muito por tudo o que aconteceu com vocês.

– O Olimpo está mesmo destruído? – Joel perguntou, aproximando-se timidamente. – Mas como? Vocês são deuses! Quem poderia derrotá-los?

– Os Nirads – Diana respondeu tristemente. – E eles logo destruirão o seu mundo também, a menos que façamos alguma coisa.

– Destruir o nosso mundo? – Emily falou chocada. – Por quê? O que eles querem?

– Não sabemos – Diana respondeu. – Nunca tínhamos visto os Nirads antes. Não sabemos nada sobre eles ou de onde vieram. Eles não fizeram nenhuma exigência e nem pegaram nada de nossas ruínas. Tudo o que almejam é a destruição. A menos que encontremos um meio de detê-los, tudo estará perdido.

– Mas como poderemos detê-los? – Emily perguntou. – Parece que nada os fere, nem uma queda de vinte andares parou um deles!

– Nós descobrimos uma coisa. No meio da batalha, logo antes de Pegasus voar para este mundo, consegui ferir um Nirad. Mas isso só aconteceu depois que ele tocou as rédeas douradas de Pegasus. Ele foi envenenado por elas. Acreditamos que ele morreu por tocar nas rédeas, e não por causa da minha lança.

– Então você precisa das rédeas dele? – Emily perguntou, tentando entender tudo o que acabara de ouvir.

Diana assentiu com a cabeça.

– Foi por isso que vim até aqui. Preciso delas para forjar novas armas, que serão usadas contra os Nirads. Vi que as tirou dele para fazer a pintura; será que pode me dar?

– Elas não estão aqui – Emily falou. – Um Olímpico chamado Paelen roubou as rédeas do Pegasus um pouco antes de os dois serem atingidos por um raio. Ele ficou com as rédeas, e agora a UCP o pegou.

– Paelen? – o rosto de Diana ficou sombrio. – Aquele ladrãozinho tolo! Mesmo ele não ficaria com as rédeas se soubesse o que elas podem fazer pelo nosso povo. – Ela olhou novamente para Emily. – O que é essa UCP que o capturou? Onde posso achá-los?

– Não pode – Joel respondeu. – Eles são muito perigosos.

– Eu lutei contra os melhores exércitos da Grécia e dos romanos. Não tenho medo dessas pessoas.

– Mas deveria – Emily advertiu. – Eles são muito perigosos.

Joel olhou para Diana.

– Quanto tempo faz desde a última vez que esteve aqui?

Diana parou e pensou na pergunta.

– Muitas eras. Seu povo não tinha máquinas como aquelas voando lá em cima. Vocês viajavam a cavalo e lutavam com espadas.

– Este não é mais o mesmo mundo que você conheceu – Joel falou. – Nós mudamos.

– É verdade – Emily concordou. – Hoje em dia, as pessoas nem acreditam em você.

– É isso mesmo – Joel continuou. – E temos novas armas que podem machucá-los. Veja o Pegasus. Ele quebrou a asa e, mesmo se curando mais rápido, precisou de tempo para isso. Se ele foi ferido, você também pode ser.

– Não é o seu mundo ou aqueles veículos voadores barulhentos que podem nos ferir – Diana falou parecendo derrotada. – A morte do Fogo do Olimpo foi o que nos enfraqueceu.

– O que é o Fogo do Olimpo? – Emily perguntou curiosa.

Diana olhou para Emily e suspirou pesadamente.

– O Fogo, que é a fonte de todo o nosso poder e força, queima no Olimpo desde o início. Mas recentemente sua força diminuiu e, então, ficamos enfraquecidos. Os Nirads usaram isso para lançar um ataque contra nós. Se a Chama estivesse com sua força máxima, eles teriam sido derrotados facilmente, mas do jeito que estava, os Nirads conseguiram chegar ao Templo do Fogo e o apagaram completamente. Todos nós acreditávamos que iríamos morrer sem ele, mas não foi o que aconteceu.

– Mas você perdeu seus poderes? – Joel arriscou.

Diana assentiu.

– Meu pai esperava usar as rédeas para derrotar os Nirads e reacender o Fogo. Momentos antes de ser capturado, ele usou o que restava de seus poderes para me mandar aqui para pegar as rédeas de Pegasus e ajudá-lo em sua missão.

– E qual é essa missão? – Emily perguntou. – Ele não pode se comunicar conosco.

Diana olhou para Pegasus.

– Por que o Pai enviou você aqui?

Joel e Emily ficaram em silêncio enquanto Pegasus começou a relinchar suavemente, continuando por vários minutos.

– Nunca soube nada disso – Diana falou em um sussurro. – Nenhum de nós sabia; apenas meu Pai, Vesta e Pegasus sabiam.

– O quê? – Emily perguntou impaciente.

– Por favor, pare de forçar sua perna machucada e sente-se – Diana falou, ajudando Emily a se ajeitar embaixo de uma árvore. Joel, ainda atordoado, sentou-se ao lado dela.

– Pegasus está em uma missão preciosa – falou – e diz que a busca está destinada a fracassar sem a ajuda de vocês. A sobrevivência do Olimpo e do seu mundo dependem totalmente de vocês.

De repente Emily não tinha mais certeza se queria ouvir aquilo.

– Muito antes de eu nascer, no final da Grande Guerra entre os Olímpicos e os Titãs, o Fogo surgiu no coração do Olimpo. Vesta ficou encarregada de manter aquele novo Fogo aceso e forte. O poder dele era o nosso poder. A vida dele era a nossa vida. Um templo maravilhoso foi erguido em volta do Fogo e, desde então, ele queimou brilhantemente lá no Olimpo.

– Vesta? – Joel falou abruptamente. – A Deusa do Fogo? Ela usava as Virgens Vestais para manter o fogo aceso em um templo na Roma antiga!

Diana concordou com a cabeça.

– Esse era o Fogo do Olimpo simbólico e as virgens eram as servas de Vesta. O Fogo verdadeiro sempre esteve no Olimpo, mas, desde o começo, meu pai se preocupou com o fato de que perderíamos nossos poderes se a Chama fosse apagada um dia. Por isso ele enviou Vesta à Terra com o coração do Fogo e mandou que ela o escondesse em uma criança humana, uma menina. Essa Filha secreta de Vesta carregaria o coração do Fogo com ela sem que viesse a saber disso.

– Mas isso foi há muito tempo – Emily falou, fazendo uma careta. – Ela já deve ter morrido.

– Ela morreu mesmo – Diana continuou –, mas Vesta garantiu que, na ocasião da morte dela, o coração fosse passado para outra garota que estivesse nascendo. O coração passaria de geração em geração, por todas as águas da Terra.

– Então há por aí – Joel começava a entender o que ela acabara de contar – outra Filha de Vesta carregando o coração do Fogo do Olimpo?

– Isso é loucura – Emily falou. – Como o Fogo tem um coração?

– Emily – Joel alertou.

– Não, Joel, isso já é demais! – ela o interrompeu. – Primeiro o Pegasus é real e ele cai no terraço do meu prédio. Agora Diana, também uma Olímpica, está aqui e diz que o Fogo tem um coração e que ele está sendo passado de uma garota para outra. Eu acredito em muita coisa, mas isso é demais! Como pode aceitar tudo isso tão facilmente?

– Porque eu li os livros! – Joel atacou. – Não sou só um brigão, sabia? Eu leio. A *Ilíada* e a *Odisseia* são os meus favoritos, e eles contam algumas das histórias dos deuses!

– Mas são só histórias – Emily desafiou. – Isto aqui é a vida real, e na vida real um fogo não pode ter coração!

– Eu também conheço esses livros, Emily – Diana falou. – Meu pai os tinha em seu palácio antes dos Nirads atacarem. Não se tratam de mentiras; eles apenas recontam alguns acontecimentos, acredite em mim. O Fogo do Olimpo tem um coração vivo e meu pai mandou Pegasus aqui para descobrir a garota que o possui. Ele foi encarregado de levá-la de volta ao Olimpo para reacender o fogo.

– Uau... – Emily disse calmamente, lutando para absorver tudo que tinha ouvido. – Mas depois de tantas gerações, como ele vai saber quem é a garota se nem mesmo ela tem ideia de quem seja?

Diana sorriu.

– Pegasus pode ver o Fogo queimando dentro dela. Ele será atraído por essa garota e não poderá resistir, pois ela é a fonte da força dele.

Joel concordou com a cabeça.

– Então o Pegasus veio à Terra para buscar essa garota, mas se machucou e acabou caindo no terraço do prédio de Emily.

– Exatamente – Diana respondeu. – Com sua asa quebrada, ele não pode voar até ela.

– E onde ela está? – Emily perguntou. – Aqui nos Estados Unidos, pelo menos?

Pegasus relinchou suavemente.

– Ele disse que a filha desta geração está neste país – Diana traduziu – e que não está longe, mas há algo de errado com ela, porque o Fogo dentro dela se enfraqueceu. É por isso que ele ficou tão fraco no Olimpo e permitiu que os Nirads nos atacassem e nos derrotassem.

– Talvez ela esteja doente? – Emily sugeriu.

– Talvez – Diana concordou –, mas seja ela quem for, essa garota tem um grande destino a cumprir, mas que também é trágico. Ela deverá fazer o maior sacrifício de todos.

– Como assim? – Joel perguntou.

– Quando a Filha de Vesta é levada de volta ao Olimpo, ela deve se sacrificar voluntariamente ao Fogo. Ele a consumirá. Com o oferecimento, o Olimpo renascerá e todos os nossos poderes serão restaurados.

– Ela precisa morrer? – Emily perguntou em um sussurro.

Diana confirmou com a cabeça.

– Ela precisa estar disposta a se sacrificar para que o Fogo renasça, não pode ser forçada.

– Mas o que nós podemos fazer? – Joel perguntou.

Diana abaixou a cabeça.

– Pegasus precisa que vocês falem com a garota quando a acharmos, pois são deste mundo e podem explicar melhor as coisas. Precisam fazer com que a criança entenda que seu sacrifício não salvará apenas o Olimpo, mas o mundo de vocês também.

– A Filha de Vesta é uma criança? – Emily perguntou. – E querem que a gente diga a ela que precisa morrer para salvar todo mundo?

– Nem a pau! – disse Joel sacudindo a cabeça. – Sei que vocês Olímpicos têm o seu jeito especial de fazer as coisas, mas isso é demais. Não pode querer que a gente peça para uma criança se matar.

– Não sei qual é a idade dela e Pegasus também não – Diana explicou. – Ele só sabe que ela está perto, mas pode ser uma senhora próxima de sua morte natural ou um bebê que acabou de nascer. Mas quem quer que seja, no fim, a decisão tem que ser apenas dela. Nenhum de nós pode forçá-la a se sacrificar.

– Então – Emily começou a falar devagar – vamos bater na porta de alguém e pedir que a pessoa se suicide para que o mundo seja salvo. – Ela se sentiu tonta com aquilo. – O que faria se fosse você, Joel?

– Eu mandaria a gente ir passear e chamaria a polícia.

– Eu também – Emily concordou.

– Então tudo está perdido e nossos mundos perecerão! – Diana falou secamente. – Os Nirads escravizaram os sobreviventes e destruíram nosso lar. Vocês já os viram por aqui; eles sabem da missão de Pegasus e mandarão outros para matá-lo antes que consiga achar a Filha de Vesta. Estou aqui para ajudar o máximo que puder.

– E nós também – Emily finalmente falou e olhou para Joel. – Não temos escolha. Se há mais Nirads a caminho, temos que fazer algo para detê-los.

– Espera aí – uma ideia surgiu na cabeça de Joel. – E se conseguirmos as rédeas de volta? Podemos usá-las para fazer armas e destruir os Nirads. Depois podemos levar a Filha de Vesta ao Olimpo e Júpiter terá tempo de pensar em outra maneira de acender o Fogo sem que ela precise se sacrificar.

Emily olhou para Diana.

– Acha que isso é possível?

– Não sei – ela respondeu. – Mas talvez possa dar certo.

– Estou disposto a tentar – disse Joel. – É melhor do que ter que dizer a uma pobre garotinha que ela precisa se matar.

– Concordo – Emily disse animada.

Joel animou o grupo a seguir em frente.

– Vamos, não podemos ficar parados!

Capítulo 16

Paelen abriu os dedos. A chave que roubara do bolso do assistente continuava na palma de sua mão. Ele deu um jeito de colocá-la na algema e abrir. Com uma mão livre foi bem fácil soltar a outra algema.

Ele sabia que seu corpo estava quase curado. A queimadura nas costas tinha sumido e suas costelas não doíam mais. Os médicos tinham engessado suas pernas, mas suspeitava que fizeram isso para evitar que ele escapasse, pois, ao esticar os pés e flexionar os músculos da panturrilha, sentia o gesso rachando e nenhuma dor nos ossos das pernas. Então se sentou, jogou as cobertas para o lado e começou a quebrar os gessos. Logo suas pernas estavam livres e ele testou seus músculos. Estavam um pouco enferrujados pela falta de uso, mas, fora isso, os ossos estavam curados.

Com as pernas livres, Paelen desceu da cama em silêncio, colocou o ouvido contra a porta de metal e ficou escutando. Ainda tinha muita gente lá fora. Então se lembrou dos assistentes fazendo planos para a noite. Eles iriam para casa. Enquanto continuava prestando atenção, Paelen ouviu a troca dos guardas lá fora. Dois homens estavam indo embora e reportavam os eventos do dia para o homem que ficaria do lado de fora da porta durante a noite. Paelen iria esperar um pouco mais antes de agir. Seus melhores trabalhos sempre eram feitos tarde da noite.

Então Paelen esperou. De alguma forma, sempre sentia quando era a hora certa de agir, não precisando fazer nenhum plano específico. Deitado, se lembrou de tudo o que vira naquele lugar até o momento. Sabia que estavam no subterrâneo, bem abaixo da superfície, que havia muitos corredores, incontáveis portas e vários andares. Sabia também que já tinha sido levado a três laboratórios diferentes para testes e que todos ficavam dois andares abaixo.

Cada vez que o tiravam do quarto, Paelen se preocupava em memorizar exatamente aonde iam. Ele tinha passado por duas portas com o símbolo de escadas em cima e, mais de uma vez, viu pessoas entrando ou saindo de lá. Ali seria sua rota de fuga após encontrar o laboratório que guardava as rédeas de Pegasus e as sandálias de Mercúrio.

Agora Paelen se concentrava na grade de ventilação acima de sua cama. O som de pessoas conectadas pelos túneis diminuía devagar. Aos poucos aquele lugar encerrava suas atividades.

Passado um bom tempo, Paelen sentiu o estranho formigamento que dizia a ele que era hora de agir, então caminhou em silêncio até a porta e não ouviu nada lá fora, a não ser um fraco som de páginas sendo viradas e uma respiração tranquila. O guarda estava lá fora, sozinho.

Olhando para o teclado que controlava a fechadura de som, Paelen contou doze botões. Para abrir a porta os homens sempre apertavam quatro. Mas quais seriam? Do ângulo da cama ele não conseguia ver quais eram exatamente, e aquilo o deixava com apenas duas opões: começar a apertar os botões até ouvir o som da combinação que precisava, ou simplesmente usar sua força para fazer a porta a se abrir.

Nenhuma das duas parecia atraente. Como apertar os botões fazia barulho, qualquer tentativa seria ouvida pelo guarda, mas a chance de o guarda escutá-lo forçando a porta também era a mesma.

Finamente Paelen escolheu a primeira opção, mas com uma pequena mudança. Mesmo com aquele formigamento em seus sentidos dizendo para agir, ele se segurou e esperou... esperou...

Então ouviu um movimento do lado de fora. O guarda dizia algo sobre deixar seu posto para ir ao banheiro. Um momento depois, outra voz deu autorização e o guarda saiu imediatamente da mesa, deixando a porta de Paelen sem ninguém vigiando.

Paelen olhou para os botões do teclado. Começando com o número um, ele fechou os olhos e apertou, ouvindo o som que fazia. Não era um dos que tinha ouvido antes.

Então apertou os doze botões, um por um, decorando o som que faziam. Quando apertou o último e ouviu seu som único, sorriu. Confiante, esticou a mão e apertou a sequência correta de quatro botões para abrir a porta. Um clique baixo se seguiu e Paelen girou a maçaneta, que se abriu sem resistência.

Paelen não viu ninguém por ali, então disparou pelo corredor em direção às escadas e desceu dois andares, até onde os laboratórios estavam localizados. Permanecendo na escada, Paelen deitou-se no chão. Todos os seus sentidos estavam alerta para quaisquer sons. Havia duas pessoas no corredor dos laboratórios. Ele as ouviu se aproximando, passando pelas portas das escadas e depois se afastando na direção oposta. Quando desapareceram, ele saiu silenciosamente das escadas.

Havia uma série de portas no longo corredor. Paelen reconheceu o primeiro laboratório para o qual fora levado e estremeceu ao se lembrar do que tinham feito com ele naquele lugar. Mais à frente naquele corredor largo e branco, Paelen se aproximou de uma grande caixa de metal encostada na parede. Antes mesmo de chegar perto ele podia sentir o cheiro da doce fragrância que fazia sua boca se encher de água e seu estômago roncar. Era quase igual à ambrosia, mas não exatamente.

Paelen pedira várias vezes para levarem ambrosia para ele, mas, em vez disso, lhe deram uma comida que ele não conseguia comer. A única coisa que dava alguma nutrição a ele era algo que os médicos chamavam de sobremesa, mas nunca era o suficiente.

Um tanto quanto esfomeado, Paelen se aproximou do vidro da máquina de venda automática e viu vários itens coloridos atrás dele. Todos tinham o mesmo cheiro doce e delicioso. Sua necessidade por comida logo superou a vontade de pegar as rédeas e as sandálias. Ao lado da máquina, encontrou uma pequena fechadura onde cabia uma pequena chave. Paelen usou toda a sua força para arrebentar a fechadura, abriu a porta de vidro da máquina e pegou o primeiro item, arrancando o papel e devorando avidamente o doce macio. Ele quase chorou de alegria quando o chocolate desceu por sua garganta e só então percebeu quanto estava com fome.

Enquanto abria outra barra de chocolate e a colocava inteira na boca, deu uma rápida checada no corredor. Ele estava exposto e vulnerável, mas precisava comer. Segurando a barra de seu avental de paciente para cima, Paelen fez uma espécie de sacola para encher com o máximo de doces e chocolates que conseguisse, mas teria o cuidado de deixar o suficiente na máquina para que quem a usasse em seguida não notasse que ele estivera ali.

Quando acabou de pegar o máximo que podia, Paelen fechou a porta de vidro da máquina e correu de volta para as escadas, se enfiando embaixo de um lance e se escondendo. Não era o melhor esconderijo do mundo, mas era melhor do que nada.

Paelen começou a comer e, à medida que abria as embalagens, descobria novos sabores deliciosos. Até aquele momento, não havia gostado de nada naquele mundo, mas, enquanto enchia a cara de chocolate e doces, percebeu que havia pelo menos uma coisa muito boa ali: o açúcar.

Quando acabou de comer o último doce, Paelen se recostou e suspirou de contentamento. Era a primeira vez que ficava satisfeito desde que chegara e já se sentia mais forte, com o açúcar trabalhando em seu corpo e curando suas últimas feridas.

Logo Paelen estava pronto para ir em frente. Saindo de seu esconderijo, ele se sentiu revigorado, vivo e alerta. Todos os seus sentidos estavam funcionando bem. Ele voltou a ser o Paelen de antes.

Paelen podia ouvir o som de outras pessoas andando nos andares acima, mas estava sozinho ali. Quando se moveu pelo corredor, percebeu um cheiro que não sentia desde que deixara o Olimpo: era o cheiro terrível de sujeira e podridão, o cheiro dos... Nirads!

Aquele odor foi ficando pior conforme caminhava. O fedor vinha de trás de uma porta trancada. Ele encostou o ouvido na porta, mas não ouviu nada. O cheiro indicava que havia um Nirad ali, mas algo estava errado; não era o mesmo aroma de antes. Este tinha o cheiro de um morto.

Paelen usou o mesmo código de sua porta, mas nada aconteceu. Ele empurrou a porta com força, pois se havia um Nirad morto ali, precisava saber como tinha morrido e se havia um jeito de derrotar aquelas terríveis criaturas. Talvez ele pudesse salvar o Olimpo com aquela informação.

Com o açúcar em seu corpo, Paelen se sentia tão forte quanto era em casa. Nenhuma porta humana poderia segurar o seu poder Olímpico. Com um forte empurrão, a fechadura e as dobradiças cederam e a porta se abriu de uma vez.

Paelen se viu em outro laboratório, mas bem diferente dos em que estivera antes. Aquele cheirava a morte e deterioração. Havia máquinas parecidas ali, além de algo terrível. No meio da sala Paelen viu uma grande mesa de metal com uma grande luz redonda em cima iluminando o que havia sobre ela. A mesa tinha abas de metal que eram dobradas para cima para que o sangue e os fluidos não espirrassem no chão. Deitado sobre ela havia um Nirad morto.

Paelen viu os quatro braços imóveis de ambos os lados da criatura. O fedor era tão terrível que ele precisou tapar o nariz para que não colocasse para fora a preciosa comida que tinha acabado de comer, mas a visão do Nirad morto quase já era suficiente para fazê-lo passar mal.

Os médicos daquele lugar claramente tinham aberto a criatura para ver o que havia dentro. Paelen não queria olhar. Em vez disso, seus olhos foram atraídos para uma grande ferida de queimadura na pele dobrada do peito aberto do monstro. Uma observação mais próxima revelou várias outras escoriações no resto do corpo da criatura. Havia uma grande ferida no rosto inchado do Nirad. Quando se aproximou, Paelen imediatamente reconheceu o formato da escoriação. Tinha sido causada pelos cascos de Pegasus.

De repente, todas as peças se encaixaram. No Olimpo, foram Pegasus e Diana que mataram o primeiro Nirad. Aquele ali também tinha morrido por causa de um encontro com o garanhão. Pegasus era o único Olímpico que podia matá-los e eles sabiam disso. Os Nirads precisavam matar Pegasus antes de completarem a destruição do Olimpo e de todos os outros mundos; por isso, seguiram-no até ali para acabar com ele. Paelen precisava alertar o garanhão. Pegasus precisava ser protegido, pois era a única arma dos Olímpicos contra os ferozes Nirads.

– Ele era seu amigo?

Paelen deu um pulo e, se virando rapidamente, viu o agente J parado ali, com vários guardas ao lado dele.

– Você precisa me soltar – Paelen disse desesperadamente. – Pegasus está correndo muito perigo. Os Nirads estão aqui para matá-lo!

– Pegasus? – o agente J perguntou.

– Sim, Pegasus – Paelen insistiu. – Precisamos ajudá-lo! Ele é o único que pode derrotar os Nirads. Preciso ir até ele.

– Você não vai a lugar nenhum. Não achou que poderia escapar da gente tão facilmente, né? Estamos seguindo você pelas câmeras dos corredores desde o momento em que saiu do quarto.

– Câmeras? – Paelen repetiu. – Não sei o que é isso.

– Sim, câmeras – o agente J sacudiu as mãos teatralmente no ar. – É como se fossem grandes olhos de serpente que nos mostram o que você está fazendo. Você nunca esteve sozinho. Te observamos o tempo todo e devo dizer que foi um belo truque aquele na máquina de doces. Fiquei surpreso por você não passar mal depois de comer todos aqueles chocolates.

– Eu lhe disse que preciso de ambrosia – Paelen insistiu – e você não providenciou para mim. Aquela comida foi a coisa mais próxima de ambrosia que encontrei. Agora, por favor, preciso ajudar o Pegasus.

Paelen começou a andar, mas vários seguranças bloquearam seu caminho.

– Não quero lutar com vocês, mas farei isso se precisar. Preciso ir.

– Já disse que você não vai a lugar nenhum – o agente J repetiu. Depois olhou para seus homens. – Peguem ele.

Paelen atacou quando os guardas o cercaram. Não foi difícil lutar com eles; Paelen os lançava pelo laboratório como se fossem bonecos de pano. Quando todos estavam caídos, ele empurrou o agente J para o lado e saiu para o corredor, correndo na direção das escadas.

– Ele está fugindo! Ele está fugindo! Fechem essa instalação! Repetindo, o indivíduo está fugindo! Fechem tudo! – gritou o agente.

Alarmes muito altos começaram a tocar no prédio. Paelen olhou para trás e viu homens correndo atrás dele. Então se concentrou em chegar às escadas, mas assim que as alcançou, ouviu o som de muitos pés descendo em sua direção.

– Pare! – eles ordenaram. – Pare ou vamos atirar!

Paelen sentiu picadas afiadas de abelhas. Ao olhar para baixo, viu vários dardos em seu peito. Ele os arrancou e os jogou nos homens que tinham atirado nele e, quando estes foram atingidos, caíram inconscientes no chão. Paelen percebeu que os dardos eram para fazê-lo dormir.

Ele continuou a subir, usando os dardos restantes contra os homens que o atacavam, mas, para cada um que caía, outro aparecia em substituição. Em pouco tempo as escadas estavam cheias de homens subindo atrás dele.

– Pare! – eles gritaram.

Mas Paelen não podia parar. Ele tinha que encontrar Pegasus e o alertar. Continuando sempre em frente, começou a lutar com os guardas, mas, apesar de ser mais forte que todos, eles eram muitos, e logo conseguiram dominá-lo.

Ele recebeu um golpe brutal na parte de trás da cabeça. Paelen se virou e viu um homem preparando a arma para atacar novamente, mas não era necessário. Quando o mundo de Paelen começou a ficar escuro, mais homens pularam sobre ele e o derrubaram.

Capítulo 17

Eles pareceram levar metade da noite para conseguir chegar ao local onde Emily brincava com sua família no Central Park. Ela estava novamente montada em Pegasus e tentava mostrar o caminho ao grupo, mas sem uma lanterna ou as luzes da cidade para ajudar, o caminho era escuro e traiçoeiro. O som constante dos helicópteros era uma lembrança do perigo em que estavam metidos.

– Tem certeza de que sabe aonde estamos indo? – Joel perguntou.

– Não muito – Emily admitiu. – Faz anos que não entro tão fundo no parque, mas não deve faltar muito.

Enquanto continuavam caminhando entre as árvores, Pegasus parou repentinamente. Suas orelhas negras se levantaram e ele raspou o chão com a pata. Diana também parou, levantou a mão como um aviso e ficou ouvindo.

– Tem alguém se movendo à frente – disse baixinho enquanto levantava a lança do irmão e se preparava para lutar.

– Em? – chamou uma voz baixa. – É você?

– Pai! – Ela respondeu. – Estamos aqui, pai! – Enfraquecida e aliviada, esticou a mão e deu um tapinha no pescoço de Pegasus. – Está tudo bem, Pegs. É o meu pai.

Esquecendo de sua perna machucada, Emily desceu das costas do garanhão, mas quando seu pé tocou no chão, a perna fraquejou e ela caiu. Seu pai estava ao seu lado no momento seguinte e a tomou em seus braços.

– Oh, Em, fiquei tão preocupado com você!

Emily abraçou o pai e imediatamente se sentiu melhor.

– Sinto muito por não ter contado o que estava acontecendo, pai.

– E o que está acontecendo? – ele perguntou. – A cidade está uma bagunça! – Então viu a perna enfaixada da filha. – O que aconteceu com você?

– Lembra da noite da grande tempestade? Não muito depois do topo do Empire State explodir, Pegasus foi atingido por um raio e caiu em nosso terraço. Foi assim que fiquei com o olho roxo. Fui ajudá-lo e a asa dele bateu em mim sem querer.

– Pegasus? – o pai repetiu. – O cavalo alado de que ouvi falar é o Pegasus da mitologia grega?

– Romana – Joel corrigiu saindo das sombras. – E não são mitos, eles são bem reais. Sou o Joel, senhor, amigo de Emily da escola.

O pai de Emily apertou a mão de Joel, que apontou para Diana.

– Policial Jacobs, gostaria de lhe apresentar outro Olímpico. Esta é Diana.

– Diana, a grande caçadora? – O pai de Emily perguntou, examinando aquela mulher tão alta.

Diana assentiu formalmente.

– Policial Jacobs, é uma honra conhecer o pai de Emily.

– Me chame de Steve – disse um pouco sem jeito e então olhou de novo para Emily. – Não estou entendendo nada. O que está acontecendo? Como e por que os Olímpicos estão em Nova York?

Emily e Joel tentaram explicar o melhor que puderam, até chegarem ao ponto onde estavam.

– É difícil acreditar em tudo isso. – Steve olhou para Pegasus e sacudiu a cabeça. – Ouvi dizer que você estava cavalgando em um garanhão branco. O que aconteceu?

– Ele era branco – Emily falou. – Branco demais. À medida que foi melhorando, Pegasus começou a brilhar, então tivemos que tingir ele de preto para escondê-lo da UCP.

Emily deu um beijinho no focinho do garanhão.

– Pegs, este é o meu pai. E pai, conheça o Pegasus.

Steve fez um carinho de leve no focinho do animal e então levantou a ponta do cobertor para ver as penas brancas das asas que descansavam ao lado do corpo escuro.

– Estou te vendo, mas não acredito que você está aqui. – Ele deu um tapinha carinhoso no pescoço de Pegasus. – E mesmo encostando em você a situação não muda.

– Ele é real, pai, mas quebrou a asa de novo e agora aquelas criaturas terríveis estão atrás dele.

– Os Nirads – Diana corrigiu.

– Eu... ainda não entendi direito. – Steve sacudiu a cabeça novamente. – Como tudo isso pode ser real? E o que significa?

– Quer dizer que a guerra no meu mundo chegou ao seu – Diana falou. – A menos que consigamos as rédeas douradas de volta, os nossos mundos deixarão de existir.

Emily explicou sobre as rédeas douradas ao pai e como elas ajudaram a matar Nirads, sobre a história do Fogo do Olimpo e como Pegasus precisava encontrar a Filha de Vesta para reacendê-lo. Steve passou os dedos pelos cabelos e falou um palavrão.

– Tive as rédeas douradas em minhas mãos alguns dias atrás. Bem que podia ter ficado com elas! – Então olhou para Diana. – Por que não fazem mais armas de ouro?

– Minerva fez as rédeas de Pegasus – ela explicou –, mas não sabemos como as criou ou que outros metais usou. Ela foi uma das primeiras a ser capturada pelos Nirads. Vulcano tentou forjar ouro olímpico. – Ela mostrou a ponta de sua lança. – Ela pode ferir os Nirads, mas apenas o ouro especial das rédeas consegue matá-los. Precisamos recuperá-las se quisermos derrotar aqueles monstros!

– Não vai ser fácil. Conheci o garoto que a roubou de Pegasus e, na mesma noite que ele chegou, a UCP foi informada. Eles o levaram com todas as coisas que possuía e não tenho ideia de onde o estão mantendo. As instalações da agência são secretas.

Pegasus relinchou atrás de Diana.

– Ele está dizendo que nossa preocupação principal é com a Filha de Vesta – Diana traduziu. – Temos que levá-la de volta ao Olimpo.

– Mas precisamos esperar até que a asa dele fique boa – Emily argumentou. – Isso quer dizer que devemos nos esconder em um lugar seguro até lá.

– Bom, não podemos ficar aqui – Steve falou. – Vocês viram os helicópteros, de manhã? O parque estará lotado de agentes da UCP e soldados! Temos que continuar em movimento e nos manter um passo à frente deles.

– E como escondemos um cavalo desses no meio de Nova York? – Joel falou. – Sem querer ofender, Pegasus, mas você entendeu o que quis dizer.

O garanhão ficou em silêncio, descansando a cabeça no ombro de Emily. Ela, então, teve uma ideia.

– Já sei! Vamos escondê-lo bem à vista! Pai, lembra que tentaram acabar com os passeios de carruagem por causa de uma campanha para melhorar o tratamento dos cavalos?

– Lembro – falou. Então olhou para Diana e explicou. – Vários grupos de defesa dos animais não estão felizes com o tratamento que os cavalos recebem na cidade, e concordo com eles, é algo terrível. Finalmente o número de carruagens está diminuindo.

– Exatamente – Emily falou animada. – Por isso devem ter carruagens sobrando nos estábulos...

– Entendi! – Joel falou. – Quer roubar uma e prender Pegasus a ela, mantendo suas asas escondidas. Depois é só sair tranquilamente daqui e procurar a Filha de Vesta!

– Ótima ideia! – Steve falou. – Vamos pôr em prática!

Sair do Central Park com Pegasus se mostrou mais difícil do que esperavam. Já tinha passado da meia-noite, mas ainda havia muito tráfego nas ruas. O que mais os preocupou foi o grande número de carros de polícia que corriam com as sirenes desligadas mas as luzes acesas, seguidos por inúmeros veículos do exército, que também trafegavam pela cidade. O grupo esperou até duas da manhã, aproximadamente, antes de agir e saíram do parque na Rua 104. A cocheira mais próxima ficava na Rua 50.

– Vamos ter que andar cinquenta quarteirões com o Pegasus? – Joel reclamou.

– A menos que a asa dele já esteja curada, terá que ficar no chão igual a todos nós – Steve falou. – Vamos até a avenida que estiver mais tranquila e seguiremos por ela até o centro.

A noite foi passando e Emily sentiu a perna começar a inchar, mas não falou nada para ninguém, tentou esquecer a sensação de náusea e se concentrou em chegar aos estábulos. Acima deles os helicópteros continuavam as buscas, por isso o grupo se mantinha próximo da proteção dos prédios.

– Eles não deveriam procurar os Nirads primeiro? – Joel perguntou.

– Achei que sim – Steve respondeu. – Tenho certeza de que pensam que Pegasus ainda está no parque.

– Espero que os dois estejam certos – Diana falou, olhando para cima. – Não gosto nem um pouco dessas máquinas voadoras.

De repente, a cidade ao redor deles explodiu em luz quando o blecaute finalmente terminou. O ar logo foi preenchido com o terrível som de alarmes disparando, no momento em que os incontáveis sistemas de segurança voltaram a funcionar. As luzes das ruas começaram a voltar e a Décima Avenida se iluminou como um parque de diversões.

– A luz não podia ter esperado mais alguns minutos antes de voltar? – Joel reclamou. – Só mais uns minutinhos, droga! Ou seria pedir demais?

– Tudo bem – Steve disse tranquilizador. – Não esperávamos por isso, mas só faltam alguns poucos quarteirões. Vamos acelerar o passo.

Eles não tinham andado mais do que um quarteirão quando ouviram sirenes se aproximando; então se abaixaram em frente a uma grande porta bem na hora em que vários carros passaram.

– Eles nem diminuíram para olhar pra nós – Emily comentou.

Mais carros de polícia passaram correndo por eles.

– Alguma coisa grande está acontecendo – Joel falou. – E tenho uma sensação ruim a respeito disso.

– Há Nirads por aqui – Diana alertou enquanto farejava o ar. – Posso sentir o cheiro deles.

Embaixo de si, Emily podia sentir Pegasus tremendo.

– O Pegs também está sentindo.

– Eu não. – Joel acrescentou. – Onde estão?

Diana aspirou o ar novamente e apontou em direção à Quinta Avenida.

– Estão pra lá.

– É a entrada do parque! – Emily exclamou. – Os Nirads chegaram ao Central Park? – Então olhou para o cavalo alado. – Pegs, como eles estão rastreando você?

– Eles provaram o sangue dele – Diana respondeu – e estão usando isso para segui-lo. Não temos como fazê-los perder a nossa trilha. A única coisa a nosso favor é que eles não conseguem correr muito rápido.

– Se os Nirads estão há apenas alguns quarteirões daqui, nem precisam correr pra pegar a gente – Joel acrescentou.

– Vamos – Steve falou. – Vamos pegar a carruagem e sair correndo desta cidade!

Quando chegaram à Rua 50, o pai de Emily levou o grupo até um portão cinza de correr. Sobre ele havia uma placa com a inscrição: "Cocheira do O'Brian".

– É aqui? – Joel perguntou. – Mas que lugar caído!

– Como vamos entrar? – Emily perguntou.

– Vamos arrombar – o pai respondeu.

Emily observou o pai em seu uniforme de policial e percebeu quanto aquilo significava para ele, por causa de seu trabalho.

– Não vai ser fácil. – Ele examinou o cadeado. – Não posso usar minha arma, faria muito barulho.

– Tem outra entrada por aqui – Joel sugeriu, parado em frente a uma porta de tamanho normal, que ficava ao lado do portão grande.

– Sim, mas não vamos conseguir sair com a carruagem por aí. Precisamos abrir o portão grande.

– Deixa eu tentar – disse Diana esticando a mão e arrancando facilmente o cadeado do portão. Todos olharam surpresos para ela.

– Posso ter perdido meus poderes, mas não minha força.

Steve levantou o portão, abrindo-o.

– Isso veio bem a calhar!

Emily se abaixou quando Pegasus passou por baixo do portão. Depois que todos entraram, Steve o fechou novamente. Enquanto olhavam em volta, o cheiro de cavalos e da palha suja entrou em suas narinas. À frente havia várias carruagens em uma longa fileira. Acima deles, em outros andares, era possível ouvir o som de cavalos choramingando.

– Eles sabem que estamos aqui – disse Diana prestando atenção no chamado dos cavalos. – Eles estão sofrendo.

– E nós também sofreremos se não pegarmos a carruagem e sairmos logo daqui – Joel alertou.

– Vocês escolhem a carruagens, preciso ir até os cavalos. – Diana começou a subir uma rampa que levava aos outros andares.

– Diana, espere! Não temos tempo pra isso! – Joel falou.

– Sempre há tempo para os animais – Diana respondeu enquanto desaparecia pela rampa.

Embaixo de si, Emily podia sentir Pegasus, reagindo ao chamado dos cavalos. Ela olhou para os lados e viu as paredes imundas e descascando.

– Este lugar é nojento, pai.

– Eu sei, querida. Adoraria que todos os estábulos da cidade fossem fechados, mas até lá, precisamos ir andando.

Emily queria ajudar o pai e Joel a examinar tudo, mas estava se sentindo muito mal e agora sabia que tinha algo muito errado com sua perna. Sentindo a dor da garota, Pegasus se virou para olhar. Emily pôde ver a pergunta nos olhos dele.

– Não estou me sentindo muito bem, Pegs – ela admitiu baixinho. – Ainda não posso contar a eles. Primeiro temos que sair da cidade e encontrar a Filha de Vesta.

Ao olhar para a bela face do animal, Emily sentiu uma ponta de inveja surgir. Em algum lugar lá fora havia outra garota o chamando e essa estranha era a dona do coração dele, e não Emily. Apesar de todo o perigo que estavam correndo, ela se viu invejando a garota desconhecida e o papel que ela teria na vida de Pegasus.

– Achamos algo! – Joel avisou lá dos fundos. – Traga o Pegasus aqui, Emily!

De repente surgiram gritos e barulhos lá em cima. Emily mal teve tempo de se segurar na crina de Pegasus antes de o garanhão disparar até a rampa e subir por ela. Ele alcançou o primeiro andar e já começava a correr em direção à Diana e ao segundo andar quando um homem inconsciente caiu lá de cima.

– Diana! – Emily gritou quando um segundo homem foi jogado e caiu pela rampa.

– Estou aqui.

Pegasus pulou por cima do segundo homem e chegou ao andar seguinte, correndo pelo corredor estreito entre os estábulos e parando a uma curta distância de Diana. Ela estava diante da porta de uma cocheira. Sua cabeça estava abaixada e Emily pôde ver lágrimas brilhando em suas bochechas.

– O que foi? – perguntou, olhando para dentro e vendo uma égua castanha deitada imóvel.

– Está morta – Diana falou baixo. – Aqueles homens a fizeram trabalhar até morrer e não estavam nem aí, pois ouvi os dois a amaldiçoando. Ela viveu uma vida miserável neste lugar terrível e eles reclamavam sobre quanto teriam que gastar para substituí-la.

Quando o pai de Emily chegou, Diana o pegou pelo colarinho e o levantou no ar.

– No que vocês transformaram este mundo para tratarem seus animais desse jeito?

– Diana, ponha ele no chão, por favor! – Emily gritou. – Ele não fez nada!

– Talvez não, mas vive em um mundo que permite esse tipo de coisa. – Diana o abaixou até o chão. – Isso é imperdoável.

Joel e Steve olharam para o cavalo morto.

– Sei que é terrível – Steve falou – e tenho vergonha do que nos tornamos e de como tratamos nossos animais, mas alguns de nós estão tentando mudar as coisas, fazê-las ficarem melhor.

– Então estão falhando em seus esforços! – Diana atacou e apontou para o cavalo morto. – Fiquei longe tempo demais.

Quando tudo isso acabar e meu mundo for restaurado, retornarei e não permitirei que isso se repita. Lugares como este conhecerão minha fúria! – Então olhou para Joel. – Você disse que me conhece dos livros? Nesse caso deve saber como me sinto em relação aos animais. Não vou tolerar esse tipo de abuso. – Ela foi até outra cocheira e começou a abrir a porta. – Esses cavalos têm de ser libertados; isso não é vida para eles.

– Concordo completamente com você – Steve falou, caminhando até Diana e colocando sua mão sobre a dela –, mas não temos tempo para ajudar todos eles, Diana. Ouça, não vai demorar para aqueles dois caras acordarem ou alguém perceber que estamos aqui. Talvez até já tenhamos acionado algum alarme. Quem você acha que vai se interessar em saber sobre a invasão de um estábulo? Um grande estábulo, Diana? A UCP, é claro. E em quem eles pensarão? – Sem esperar pela resposta, ele apontou para Pegasus. – Vão pensar nele. Precisamos sair daqui o mais rápido possível.

Pegasus bateu a pata e começou a relinchar. Diana parou. Depois, finalmente se acalmou, caminhando até o garanhão e acariciando seu pescoço.

– É claro, meu caro amigo, você tem razão.

Então olhou para os outros.

– Precisamos pegar a carruagem e partir. Mais tarde voltarei para libertar esses cavalos.

Emily olhou para os tristes animais, esperando ansiosos que Diana abrisse a porta de suas cocheiras. O coração dela ficou com eles. Quando a guerra acabasse, ela prometeu que se juntaria a Diana e libertaria todos.

A caminho da rampa, Emily viu que um dos homens desmaiados começava a se mexer. Não demoraria até que ele acordasse.

Quando chegaram até o térreo novamente, Joel os levou até os fundos.

– Encontramos isso no depósito deles – Joel explicou enquanto apontava para uma carruagem branca um pouco quebrada. A capota estava rasgada, mas as rodas e os eixos pareciam firmes. – Eles não darão por falta dela tão rápido quanto se pegássemos uma das novas.

– Também achei isso aqui – Steve segurou dois macacões. – Não posso sair vestido assim – falou, apontando para o uniforme da polícia. – E Diana? Você com certeza não pode usar esses trapos.

Ela concordou e, sem dizer nada, pegou o macacão e foi se trocar em outra área.

Capítulo 18

Emily descansava ao lado de Pegasus enquanto seu pai, Diana e Joel faziam o possível para prender o garanhão à carruagem. Enquanto se esforçavam e discutiam qual seria o melhor jeito de colocar os arreios nele, Emily percebeu quanto Pegasus era diferente dos cavalos normais. Sua estrutura era bem maior e nenhum dos arreios chegava perto de servir. O grande par de asas também não ajudava.

No fim, tiveram que juntar várias peças de arreios diferentes para prendê-lo mais ou menos na carruagem. Pegasus não permitiu que as tiras de couro ficassem por cima de suas asas, o que faria com que ficassem presas ao seu corpo. Ele insistiu para que permanecessem livres. Para conseguir isso, tiveram que tentar prender tudo por baixo das enormes asas e torceram para que o cobertor as ocultasse o suficiente para que não parecessem suspeitas à luz do dia.

– Me desculpe por fazer isso com você, velho amigo – Diana falou suavemente. – Você merece muito mais.

Emily olhou para Pegasus tingido de marrom e preto e preso à carruagem branca. Ele estava coberto de arreios que não serviam bem e tinha rédeas pesadas que repousavam desconfortavelmente sobre sua cabeça e face. Não se parecia em nada com o majestoso garanhão que caíra em seu terraço havia algumas noites. Emily se sentiu horrível por ter que fazer aquilo com ele.

– Me desculpe, Pegs – murmurou se encostando nele. – Só precisamos sair da cidade e então podemos tirar tudo isso de você.

Pegasus relinchou baixo e lambeu o rosto da garota. A língua dele se deteve um momento em sua bochecha e então ele relinchou para Diana.

– Febre? – Diana olhou para Emily, levantou a mão, sentiu a testa dela e fez uma careta. – Você está com febre.

– Caramba! – Steve também pôs a mão na testa da filha. – Você está fervendo, Em!

Emily sabia que Pegasus fizera aquilo por ela, mas tinha sido no momento menos apropriado.

– Não me sinto muito bem – ela finalmente admitiu. – Acho que é a minha perna.

– Deixa eu ver – seu pai insistiu.

Ela foi ajudada a subir na carruagem e seu pai começou a soltar as bandagens de sua perna ferida.

– Meu Deus! – ele exclamou quando viu a terrível infecção causada pelas garras do Nirad. – Por que não disse nada?

– Não podia. Temos que nos preocupar em manter o Pegasus a salvo da UCP e dos Nirads. E ele precisa encontrar a Filha de Vesta e levá-la de volta ao Olimpo para reacender o Fogo.

– A Emily tem razão – Diana falou. – Reacender o Fogo do Olimpo é a única chance para nossos mundos.

– Mas temos que levá-la para um hospital – Steve insistiu. – Olhe só para isso. Ela não está bem!

Pegasus começou a relinchar e a bater a pata no chão.

– Ele discorda de você – Diana traduziu. – Pegasus sabe muito bem que ela está doente, mas os Nirads também provaram seu sangue e podem rastreá-la. Se levá-la a algum lugar para que seja cuidada, garanto que os Nirads irão atrás. Ela precisa ficar conosco para que possamos protegê-la.

Joel levantou a cesta de piquenique.

– Temos mais antisséptico e bandagens para curativo – assegurou a Steve. – Podemos limpar o ferimento e fazer um curativo novo. Então, quando acharmos a Filha de Vesta e Pegasus a levar para o Olimpo, Emily poderá ir para o hospital.

– É o único jeito, pai – Emily acrescentou fracamente. – Manter o Pegasus a salvo é muito mais importante do que minha perna. Se ele falhar em sua missão os Nirads destruirão nosso mundo, e então não importará muito se eu estiver doente ou não.

Steve suspirou. Depois, relutantemente, tirou-a da carruagem e a carregou até uma pia suja, para que pudesse limpar o ferimento dela. Feito isso, ele passou o que sobrara da pomada antisséptica e fez um novo curativo com as bandagens limpas.

– Isso não vai durar muito – falou quando terminou.

– E nem precisa – Emily respondeu. – Apenas o suficiente para tirarmos Pegasus da cidade...

De repente Pegasus começou a guinchar.

– Nirads! – Diana exclamou sentindo o cheiro no ar. – Eles estão chegando!

– De que lado? – Steve perguntou.

– De lá! – Diana pegou sua grande lança e apontou para o portão cinza de metal.

– É a única saída! Estamos encurralados! – Joel falou.

Lá de cima vieram sons dos cavalos reagindo à aproximação dos Nirads. Eles também relinchavam alto em suas cocheiras e batiam fortemente contra as portas.

– Tive uma ideia! – Steve gritou. – Joel, Diana, venham comigo. Em, fique aqui com o Pegasus. Se eles arrombarem a porta, corram. Vocês precisam dar um jeito de fugir.

– O que vocês vão fazer? – Emily perguntou.

– Vamos soltar os cavalos.

Capítulo 19

Pegasus raspava o chão e bufava nervoso enquanto os uivos doentios dos Nirads se aproximavam do grande portão cinza de metal.

– O que está acontecendo aqui?

Emily viu os dois homens que Diana tinha atacado descerem meio zonzos da rampa. Seus rostos estavam machucados e com sangue e os dois mancavam do encontro que tiveram com a Olímpica raivosa.

– Você atacou a gente! – um deles gritou. – Quem é você? – Ele então reparou em Pegasus preso na velha carruagem branca. – De onde veio esse cavalo? Não é um dos nossos.

– Mas a carruagem é! – o outro homem falou com irritação.

– Me ouçam, por favor. – Emily apontou para o portão de metal. – Tem criaturas de quatro braços lá fora e elas estão atrás de nós. Elas matarão vocês se os virem, mas não sabem que estão aqui. Se escondam até a gente ir embora!

Os homens ficaram pálidos ao ouvir os terríveis sons que vinham do lado de fora do estábulo.

– O quê de quatro braços? – um deles perguntou fracamente.

– Criaturas, monstros, demônios – Emily respondeu. – Pode chamá-los como quiser. Vamos soltar os cavalos para distraí-los e assim conseguir escapar. Ouçam o que estou dizendo, por favor, vocês precisam se esconder.

Lá de cima vieram mais sons de cavalos relinchando nervosamente e chutando a porta de suas cocheiras. Eles estavam ficando fora de controle.

– Vocês não vão soltar os meus cavalos! – um dos homens gritou. Os dois se viraram e começaram a subir a rampa de novo. – Fique onde está! Vamos chamar a polícia!

Todos ouviram o som de batidas no chão vindas lá de cima e depois de cascos correndo pela rampa. Os dois homens pularam para o lado quando o primeiro cavalo passou, liderando seus companheiros, que correram direto para a carruagem com pânico no olhar.

Emily tinha certeza que eles bateriam na carruagem e a virariam, mas Pegasus abriu suas asas bem na hora e empinou, ficando em pé sobre as patas traseiras. Ainda na carruagem, Emily foi jogada para o alto. O garanhão relinchou alto e os cavalos aterrorizados pararam na hora.

– Mas que diabos está acontecendo aqui? – um dos homens exclamou enquanto seus olhos se arregalavam com a visão das enormes asas de Pegasus. Ele se virou novamente para Emily.

– Quem é você?

– O que é você? – o outro perguntou.

Os Nirads começaram a bater no portão cinza. Seus rugidos e rosnados prometiam uma morte terrível a todos, caso conseguissem entrar.

– Pai! – Emily gritou quando a carruagem desceu novamente ao chão. – Eles estão aqui!

– Estamos indo! – Joel falou lá de cima enquanto mais cavalos desciam.

Emily podia ver as narinas abertas e o terror nos olhos dos animais que se reuniam em volta de Pegasus. O cavalo alado estava em pé sobre as quatro patas mais uma vez, mas suas asas tremulavam e ele sacudia a cabeça nervosamente.

Steve, Joel e Diana reapareceram, caminhavam por entre os cavalos na rampa, tentando alcançar a carruagem. Quando Diana viu os dois homens, atacou furiosamente.

– Vocês merecem o destino que os aguarda atrás daquela porta, por tudo que fizeram com os cavalos. Não esperem nenhuma ajuda minha; vocês estão à mercê dos Nirads!

– Não temos tempo pra isso, Diana – Steve alertou e depois se virou para os homens aterrorizados – Subam e se escondam. Os Nirads querem a gente, não vocês. Fiquem escondidos e talvez consigam sobreviver!

Sem esperar que falassem de novo, os dois homens passaram por entre os cavalos assustados e correram rampa acima.

– Vamos chamar a polícia do mesmo jeito!

– Pode chamar – Steve respondeu. – Eu sou policial.

– Pai! – Emily gritou apontando para o portão de metal. – Estão tentando arrebentar o portão. Ele estava começando a ceder diante do brutal impacto dos punhos dos Nirads.

– O portão não vai aguentar muito tempo. – Steve correu e pegou um cobertor que estava no chão. – Na hora que o portão se for, os cavalos devem ir em frente. Com sorte, abrirão uma brecha entre os Nirads para nós. Pegasus, a responsabilidade de nos tirar daqui o mais rápido possível será sua.

Pegasus bufou e sacudiu a cabeça. Seus cascos afiados rasparam o chão de concreto enquanto seus grandes olhos selvagens observavam o grande portão de metal começar a ceder. Steve pulou na carruagem e pegou as rédeas. Joel e Diana entraram atrás dele.

– Segurem firme – Steve alertou se sentando no lugar do condutor. – A viagem não vai ser calma.

Mais amassados surgiam no portão, que começou a ceder na parte de cima. As longas e afiadas garras de vários Nirads surgiram e cortaram o metal. O portão finalmente ficou livre de seu trilho e foi arrancado, caindo na rua e prendendo dois Nirads embaixo dele.

Pegasus relinchou alto. Os cavalos entraram em pânico e, aterrorizados, começaram a debandar, correndo em direção ao portão caído e esmagando os Nirads embaixo dele. Sem se importar com os companheiros, os outros Nirads foram em frente, tentando forçar a passagem por entre os cavalos que saíam.

– Agora, Pegasus! – Steve gritou. – Vamos agora!

Emily sentiu a carruagem se mover para a frente quando Pegasus começou a correr. Vários Nirads lutaram para tentar passar por cima dos cavalos e atacá-los. Um deles conseguiu pular por cima dos cavalos em pânico e pousou ao lado da carruagem. Enquanto dois braços seguravam nela, outros dois se esticaram para Emily e a pegaram pelos cabelos. Ela gritou e arranhou os braços musculosos que a puxavam. Joel reagiu instantaneamente e foi direto nos olhos do Nirad, mas o monstro soltou um dos braços que segurava a carruagem e deu um soco em Joel, empurrando-o para trás no momento em que Diana levantou a lança e atacou. Quando a ponta da arma acertou o peito exposto do Nirad, ele soltou Emily, gritou em agonia e caiu da carruagem.

– Se segurem! – o pai de Emily gritou quando se aproximaram da saída.

Pegasus pulou em cima do portão de metal e a carruagem o seguiu. Com os dois Nirads ainda presos embaixo, o portão serviu como rampa, fazendo com que a carruagem saltasse no fim dele e voasse vários metros. Todos gritaram.

Ela pousou novamente e, apesar de seus ocupantes terem sido jogados dos assentos, a carruagem continuou inteira. Sem parar, Pegasus disparou pela Rua 50 a toda velocidade.

Emily se esforçou para voltar para seu assento e então olhou na direção do estábulo e ficou sem fôlego. Mais Nirads tinham surgido e levantavam os quatro braços ameaçando e grunhindo raivosos por terem deixado o grupo escapar. Eles ignoravam os cavalos em pânico e se concentravam em perseguir a carruagem.

– Corra Pegasus, corra! – Emily gritou.

Ela só conseguiu contar até doze antes de perder a conta de quantos Nirads os estavam seguindo. Com os dois embaixo do portão, eram pelo menos quatorze Nirads em Nova York, todos caçando Pegasus.

– Você está bem, Emily? – Diana procurou nervosamente por novos cortes. – Ele a machucou?

Emily negou com a cabeça e passou a mão com cuidado em seu dolorido couro cabeludo.

– Não, estou bem, mas acho que ficarei careca no lugar onde aquela coisa puxou meu cabelo.

– Isso não é nada – Joel reclamou apertando com as mãos o lado do corpo. – Acho que quebrei algumas costelas! Esses Nirads têm um soco poderoso!

– Eles venceram Hércules – Diana explicou. – Não é surpresa terem derrotado você.

Após vários quarteirões, Pegasus diminuiu o ritmo e passou a trotar e, depois de mais alguns quarteirões, parou completamente. Todos saíram trêmulos da carruagem. Emily mancou até o cavalo alado e fez carinho em seu focinho.

– Você está bem, Pegs?

Os olhos do garanhão estavam arregalados e brilhando de medo e suas narinas continuavam abertas. Ele gentilmente acariciou o pescoço de Emily.

– Essa foi por pouco – Joel falou enquanto Steve inspecionava a carruagem para ver se estava danificada. – Esta coisa já estava pronta para quebrar antes do ataque. Mais um voo daqueles e ela não dura nem um minuto.

– Tivemos sorte lá atrás – Steve falou seriamente enquanto testava as grandes rodas. – Temos que ficar um passo à frente dos Nirads; aqueles quatro braços são letais.

– São mesmo – Diana falou. – E seus três olhos dão a eles uma visão panorâmica.

– Três olhos? – Joel perguntou. – É mesmo? Onde fica o terceiro?

– Atrás da cabeça, no meio daqueles cabelos imundos – Diana explicou. – Pelo que aprendemos, eles não enxergam bem por esse olho, mas é suficiente para que nunca sejam pegos de surpresa.

– E como vamos conseguir derrotá-los? – Emily perguntou. A febre aumentara, fazendo com que se sentisse ainda mais fraca e cansada. – Eles são fortes demais.

– Precisamos daquelas rédeas – Diana afirmou. – Podemos vencê-los com elas.

– E mais o Fogo – Joel acrescentou. – Quando Pegasus levar a Filha de Vesta para o Olimpo e reacender o Fogo, você conseguirá seus poderes de volta, certo?

Diana assentiu com a cabeça.

– É isso mesmo, mas temos que ficar longe dos Nirads até o Pegasus estar pronto para voar novamente. Ele é nosso único jeito de ir para casa.

Emily estava com todo seu peso apoiado em Pegasus quando seu pai pôs a mão novamente em sua testa.

– Você está piorando – ele disse preocupado. – Venha, vou colocar você de volta na Carruagem, precisa dormir um pouco.

Emily não resistiu quando seu pai a levantou e a colocou na carruagem. Ele pegou um cobertor que tinham guardado embaixo do assento e a cobriu.

– Deite e descanse – ele aconselhou. – Vou tentar achar um lugar para nos escondermos durante a noite. Quando a cidade começar a despertar, poderemos nos misturar com as outras carruagens e dar um jeito de sair de Manhattan.

Quando o pai dela se sentou novamente no assento do condutor, Diana se ajeitou ao lado de Emily e colocou o braço em volta dela de um jeito bem protetor.

– Durma, criança. Em breve iremos para casa.

Quando Emily acordou, o sol já estava alto no céu e os sons da cidade tinham voltado ao seu normal. Mas ainda parecia haver mais sirenes policiais do que de costume, e o barulho assustador dos helicópteros ainda podia ser ouvido nos céus.

Diana ainda estava ao lado dela, mas Joel e seu pai tinham sumido.

– Onde eles estão? – Emily perguntou sonolenta, olhando em volta.

Eles pareciam estar em um prédio em obras, protegido por várias betoneiras em volta. Havia um grande andaime acima deles, que os escondia dos helicópteros que ainda sobrevoavam baixo pela cidade.

– Seu pai se lembrou deste lugar e nos trouxe aqui – Diana explicou. – Ele disse que estaremos a salvo por enquanto. Falou também que este lugar se chama centro, mas não sei bem o que isso significa.

Emily se sentiu aliviada.

– Significa que estamos bem longe dos estábulos.

Pegasus ainda estava preso à carruagem. Ele relinchou suavemente e tentou olhar para ela.

– Bom dia, Pegs.

– A bela adormecida acordou – ela ouviu seu pai dizer.

Steve e Joel estavam entrando por um buraco na cerca alta que protegia a construção. Os dois traziam várias sacolas de comida e, quando se aproximaram, Pegasus relinchou.

– Ele sentiu o cheiro do açúcar – Joel falou e então olhou para Diana. – Aposto que você também precisa de um pouco. Trouxemos um monte pra vocês dois.

– E consegui mais coisas para cuidar da sua perna – Steve falou colocando as sacolas no chão e sentindo a testa da filha. – A febre abaixou, mas só um pouco. Como está se sentindo?

– Não tão mal – ela mentiu. A verdade é que se sentia terrível. Sua cabeça latejava, o corpo doía e, na perna machucada, sentia umas pontadas no ritmo das batidas de seu coração. – Por enquanto acho que ficarei bem. Só espero que a gente consiga sair de Nova York antes que os Nirads nos encontrem.

– Vamos conseguir – o pai falou. – Agora vamos comer os bagels frescos com *cream cheese* que compramos. Diana, você e o Pegasus podem comer o cereal matinal.

– E adivinhem só? – Joel falou, pegando algo em uma das sacolas. – Saímos na primeira página de todos os jornais! – Ele entregou vários jornais para Emily. – Veja as manchetes. "REVELADO QUE O CAVALO VOADOR ERA UMA FARSA." Acredita nisso? Meio milhão de pessoas nos viu voando pela Quinta Avenida e agora dizem que era apenas uma grande farsa!

Emily olhou para as fotos granuladas da fuga voadora deles. As imagens pareciam ter sido tiradas com uma câmera de celular e ampliadas várias vezes para que fosse possível ver os detalhes. Ela via Pegasus e suas grandes asas brancas, mas não dava para enxergar o rosto dela e o de Joel.

Depois de ler rapidamente o artigo, ela comentou:

– Um dublê de cinema? Eles esperam que as pessoas acreditem mesmo que era um dublê promovendo um novo filme? E olha só, eles nem mencionam os Nirads! Estão achando que as pessoas são idiotas?

– Eles não pensam que elas são idiotas. – Steve pegou outras coisas da sacola. – Mas pode apostar que a UCP ordenou aos jornais que publicassem isso. Tenho certeza de que se alguém tentar desafiar a história receberá a visita de um agente não muito amistoso da UCP para um bate-papo. Mas isso, provavelmente, é a melhor coisa que poderia ter acontecido para nós. O público não estará procurando por nada, especialmente agora que o Pegasus é... – o pai dela parou e pensou na melhor palavra para usar. Então, finalmente falou: – Agora que ele não é mais branco.

Em plena luz do dia, Emily podia ver que o tingimento que fizeram em Pegasus na noite anterior ficara horrível. A cabeça e uma parte do pescoço e da crina estavam pretos, mas, descendo para as pernas, havia uma linha divisória e a cor mudava para marrom. Então, na parte de baixo das costas ele ficava marrom mais claro e seu traseiro e cauda estavam pretos como a cabeça e o pescoço. Ele parecia mais estranho agora do que antes, quando era branco brilhante.

– Vamos comer e partir logo – Steve pegou o resto da comida. – Temos muito que fazer hoje e o tempo é curto.

Como já era de se esperar, Pegasus estava faminto. Ele devorou três caixas de cereal açucarado com três pacotes de açúcar mascavo e mel antes de começar a ir mais devagar. Diana comeu praticamente o mesmo. Emily assistia impressionada enquanto Diana devorava porções generosas direto da caixa, seguidas por goles de mel direto do pote.

– Isto é delicioso! – Diana falou com a boca cheia. – Qual é o nome disso aqui?

– Alguns chamam de café da manhã – Steve falou rindo. – A maioria de nós chama de lixo. Nesse cereal tem açúcar suficiente pra manter uma criança hiperativa o dia todo.

– Mas é o mais próximo da ambrosia que conseguimos comprar – Joel acrescentou.

– É mesmo muito bom – Diana concordou. – É diferente da ambrosia e do néctar, mas serve muito bem.

Depois do cereal, Diana e Pegasus comeram duas caixas de donuts de mel. Ao ver Diana comer desesperadamente, Emily achou que ela ia passar mal. Seu pai lhe trouxera um *bagel*, mas ela não conseguia comer. Viu que ele a observava e ficou agradecida por não obrigá-la a comer.

– O mundo de vocês mudou muito desde que estive aqui pela última vez – Diana falou, pegando o último *donut* –, e não foi só para pior.

– É, nós temos coisas boas também – Steve falou enquanto começava a limpar os ferimentos de Emily e a trocar o curativo. Apesar de não pressionar Emily a comer, ele a fez tomar seus remédios para dor. Quando terminou de pôr as bandagens em sua perna, se sentou e sacudiu a cabeça.

– Vamos precisar levar você para que alguém examine essa perna em breve. Ela está piorando.

Emily não precisava que seu pai lhe dissesse isso, ela já sabia, e suspeitava que Pegasus também soubesse. O garanhão continuava olhando para trás às vezes, para ver como ela estava, e relinchando baixinho.

– Bom, já são quase sete horas – Steve falou, olhando seu relógio. – É melhor irmos andando. Os trabalhadores voltarão para a obra a qualquer minuto. Não quero que nos achem aqui e vejam o que fizemos na cerca deles.

– Não está cedo demais para ter carruagens nas ruas? – Emily perguntou.

– Não temos escolha – o pai respondeu. – Se formos devagar, talvez ninguém perceba.

Depois que a comida foi guardada e as asas de Pegasus cobertas novamente, o pai de Emily se sentou no lugar do condutor.

– Está pronto, Pegasus? – O cavalo alado relinchou e ficou em posição. – Temos que chegar na ponte da Rua 59.

– Na 59? – Diana repetiu. – Me desculpe, Steve, mas não é onde a UCP está concentrando seus esforços para nos encontrar? Você quer ir lá?

– Não temos escolha – Steve explicou novamente. – A ponte é o caminho mais rápido para se sair de Manhattan. – Ele segurou as rédeas. – Não podemos pegar os túneis e nem as balsas, e com os Nirads furiosos e soltos na cidade, tenho certeza de que a UCP e o exército estão bem ocupados. Vamos torcer para que consigamos não chamar a atenção deles. – Ele se virou para o garanhão. – Certo, Pegasus, vamos nessa, mas devagar e sempre. Não queremos atrair atenção. – Pegasus relinchou e começou a andar.

Capítulo 20

Paelen foi algemado à cama novamente, mas dessa vez seus tornozelos também receberam algemas. A pancada em sua cabeça o tinha deixado atordoado apenas por alguns momentos, mas quando acordou e implorou para que os homens ajudassem Pegasus, seus pedidos foram ignorados. Ao lado da cama e olhando para ele estava o agente J.

– Sugiro que reconsidere suas escolhas e fale conosco – disse. – Estou autorizado a usar a força para conseguir o que preciso de você. Tem até o amanhecer para decidir: ou me diz a verdade, ou usarei métodos infinitamente piores do que os que você já conhece. A escolha é sua.

Mas Paelen já sabia o que ia fazer. Ele não tinha a menor intenção de colaborar; seu único pensamento era o de encontrar um modo de chegar até Pegasus e alertá-lo. Quando o agente J e seus homens foram embora, Paelen se concentrou no problema que tinha em mãos. Tirar as algemas não seria difícil; complicado mesmo seria sair daquela instalação. O agente J afirmou que ele era vigiado por olhos de serpente e o fato de terem-no capturado no andar de baixo provava que aquilo era verdade. Mas será que algo o observava naquele quarto?

Paelen estudou cuidadosamente cada parede e área do local, procurando algo que parecesse com olhos de serpente, mas não encontrou nada de diferente. Então se convenceu de que os olhos de serpente estavam apenas nos corredores. Com aquela rota bloqueada, seria preciso achar outro caminho para sair daquela instalação. Olhando para cima novamente, viu a grade de ventilação. Aquela seria sua rota de fuga e ele teve a sensação de que não haveria olhos de serpente por lá. Com a decisão tomada, Paelen voltou sua atenção para as algemas e, relutante, usou a única habilidade Olímpica que tinha.

Era incrivelmente doloroso. Começando por seu pulso direito, dobrou o dedão para dentro e começou a empurrar. Do mesmo jeito que fizera todas as outras vezes em que tinha sido acorrentado no Olimpo, Paelen esticou os ossos de sua mão até que o metal da algema deslizasse e saísse. Ele repetiu o mesmo processo com a mão esquerda. Depois de soltar as mãos, Paelen se sentou e segurou as algemas dos pés. Ele estremeceu de dor quando os ossos de seus pés se esticaram até que as algemas caíssem. Quando ficou livre, retornou as coisas ao seu formato original e suspirou aliviado.

Paelen encostou o ouvido na porta e ouviu vozes, contou pelo menos três homens de guarda lá fora. Eles conversavam animadamente sobre algo chamado futebol americano. Como estavam distraídos, não o ouviriam fugir. Ele então subiu na cama e pisou sobre seus travesseiros enquanto examinava a grade de ventilação. Seria bem apertado, mesmo para ele, mas se se esticasse o suficiente, sabia que conseguiria passar.

Apenas quatro parafusos prendiam a grade. Paelen se segurou em uma das extremidades e começou a fazer força, mas não foi preciso se esforçar muito para arrancar a grade da parede. Ele a escondeu embaixo do travesseiro.

Paelen deu mais uma olhada rápida para a porta e, então, colocou as mãos dentro do túnel de ventilação, prendendo as palmas firmemente contra as paredes e subindo seu corpo até lá.

Como suspeitara, a entrada do duto de ar era absurdamente pequena. Ele teve que dolorosamente esticar todos os ossos de seu corpo para passar por ela e, só então, percebeu que suas costelas não estavam totalmente curadas. Enquanto se movia, sentia pontadas de dor vindas do formato alterado de sua caixa torácica.

Ignorando a dor e estremecendo a cada movimento, Paelen entrou no grande labirinto de incontáveis túneis do sistema de ventilação. Os dutos em si eram bem maiores que a entrada, por isso ele pôde retornar seu corpo ao formato normal.

Rastejando de joelhos, Paelen usou todos os seus sentidos para ficar alerta aos perigos. Quando chegou a uma encruzilhada, fez uma pausa. À sua esquerda não ouviu nada; ainda era de madrugada e não havia muita gente no lugar. Mas, à direita, ele ouviu vozes e reconheceu uma delas. Era o agente J. Não estava claro o que ele falava, mas Paelen tinha certeza de que ouviu a palavra "Pegasus". O agente J falava do garanhão!

Ele foi em direção às vozes, se movendo o mais rápido e silenciosamente que conseguia. A cada momento a voz do agente J ficava mais forte. Chegando em um túnel curto, ele viu uma luz brilhando no final, onde havia outra saída da ventilação. Por ela ouviu o agente J falando com dois homens.

Paelen foi até a abertura e descobriu que, se colocasse sua cabeça na posição certa, conseguia enxergar através da grade e ver o escritório. O agente J estava sentado em uma grande escrivaninha, de costas para a grade de ventilação. Paelen quase exclamou ao ver uma das sandálias de Mercúrio sobre a mesa; o agente sacudia a outra no ar enquanto falava. Paelen olhou para os outros homens e viu o agente O, o jovem que já conhecia, sentado em frente à escrivaninha. Um outro homem estava sentado ao lado do jovem agente e era desconhecido para Paelen.

– E então, o que acha? – O agente J perguntou.

O agente O deu de ombros.

– Não sei não. Há coincidências demais para não ser verdade. Os resultados dos testes do garoto e o jeito que ele manteve sua versão da história até agora. Tem as sandálias e o cavalo alado, o Pegasus? E as criaturas na cidade? Odeio admitir isso, mas estou começando a acreditar nele. Acho que podemos mesmo estar lidando com um monte de Olímpicos e não com alienígenas, como pensamos.

O agente J se voltou para o outro homem.

– E o que acha, agente T?

– Concordo com o agente O. Temos centenas de homens nas redondezas procurando por sinais de queda ou pouso de uma espaçonave. Contatamos o NORAD para que fizessem buscas por satélite, mas não há nenhum sinal de nada vindo do espaço.

O agente J soltou um palavrão.

– E como vou explicar isso, diabos? – ele perguntou. – O alto comando está obcecado para encontrar extraterrestres e, mais importante do que isso, tecnologia deles. Lembrem-se de todas as armas que foram desenvolvidas graças aos achados no incidente em Roswell! Isso sem falar nas capturas mais recentes. A tecnologia alienígena é inestimável e o comando espera que nós providenciemos informação!

– Se acalme, senhor – o agente O falou. – Assim vai acabar tendo um derrame!

O agente J levantou um dedo ameaçador.

– Não me diga para ficar calmo. Somos a nação mais poderosa do planeta! E por quê? Porque temos as maiores armas desenvolvidas com tecnologia alienígena. E como vou explicar que esse garoto e o cavalo voador não são extraterrestres, mas sim um monte de velhos mitos que estão se mostrando verdadeiros? O que virá a seguir, vampiros? Lobisomens? Quem sabe doces fadinhas montadas em um unicórnio?

– Sei que é duro de engolir – o agente O continuou –, mas seríamos tolos se não considerássemos essa possibilidade.

– E todos os outros? – o agente J perguntou. – Júpiter, Apolo, Cupido e os outros personagens da mitologia? Está dizendo que também existem? Se sim, por que não ouvimos falar deles até agora?

Paelen viu o agente O dar de ombros.

– Não sei. Talvez eles preferissem ser discretos e ficaram escondidos em nosso mundo moderno. Mas a mitologia conta que Mercúrio viajava pelo mundo com suas sandálias aladas. Veja o que está segurando. O que os cientistas disseram sobre elas?

– Nada – o agente J retrucou furiosamente. – É impossível rastrear os materiais. Disseram que são rubis, diamantes e safiras de verdade costurados nas laterais. Mas as penas das asas não são de nenhum pássaro conhecido na Terra. E nem o couro. Eles não têm como nos dizer de onde essas coisas vieram.

– Então o garoto pode mesmo ser o Mercúrio? – o agente T perguntou.

O agente O assentiu.

– Ele afirmou que este era um de seus nomes.

O agente J bufou.

– E também disse que era Hércules, Júpiter e Paelen, o Grandioso. Eu não confiaria nas coisas que ele disse até agora.

– E as rédeas? – o agente T perguntou novamente.

– O mesmo das sandálias – o agente J respondeu amargamente. – Materiais impossíveis de serem rastreados. E sim, é ouro de verdade, mas tem muita coisa misturada a ele. Acharam saliva nele, mas o DNA não bate com nenhuma espécie de cavalo conhecida. Aliás, não bate com nenhum ser vivo deste planeta, igual ao garoto e a criatura que temos lá embaixo.

– Então pode ser que pertença ao verdadeiro Pegasus? – o agente O perguntou.

O agente J suspirou pesadamente.

– Espero que não, pelo amor de Deus. Estamos aqui para achar extraterrestres, e não Olímpicos! Mas não vamos ter certeza até que venham para cá e possamos testar o garanhão nós mesmos.

Paelen quase desmaiou. Será que tinham encontrado Pegasus?

– E quando será isso? – O agente O perguntou.

Ele viu o agente J olhar em um pequeno aparelho em seu pulso.

– Com base na atual movimentação deles, imagino que os teremos capturados e entregues aqui antes do almoço.

– Como os encontrou? – o agente T quis saber. – A última coisa que soube é que estavam escondidos no parque.

– Eles deixaram o parque há horas – o agente J respondeu. – Acabamos de interrogar dois caras de um estábulo da Rua 50. Eles chamaram a polícia e afirmaram que quatro pessoas e um cavalo alado invadiram seu estábulo e roubaram uma carruagem. Com essa informação não foi difícil encontrar a carruagem e ficar de olho neles.

– Quatro pessoas? – o agente O repetiu. – Na foto, havia dois garotos com o Pegasus. Quem são os outros?

– Os caras disseram que um deles era uma mulher alta e superforte, que os outros chamavam de Diana, e contaram que ela carregava uma lança e os atacou do nada, só por causa do jeito que eles tratam os animais.

Paelen precisou cobrir a boca para continuar em silêncio. Diana estava naquele mundo! Se Pegasus contasse a ela sobre o roubo das rédeas, ele sabia que não teria como escapar de sua ira, mas ouvir aquelas pessoas dizendo que iriam trazer a filha de Júpiter e Pegasus para aquela instalação era mais do que podia aguentar.

– O outro adulto que estava com eles é um policial de Nova York, Steve Jacobs. A garota da foto é a filha dele de treze anos. O que não sabemos é como ou por que eles se envolveram nisso e nem quem é o garoto da foto. Ele pode ser como o nosso Mercúrio aqui ou pode ser humano. Os donos do estábulo disseram que os monstros chegaram pouco depois de o grupo ter invadido o local. Acabei de ver as fotos que nossos rapazes tiraram de lá. As criaturas rasgaram o portão de metal como se fosse manteiga.

– O que eles queriam? – o agente O perguntou.

– O garanhão. Pelo menos é o que os caras disseram.

– E se eles os encontrarem antes de nós? – o agente T perguntou.

– Não vão – o agente J retrucou confiante. – Nosso pessoal já está posicionado. Pegasus e a carruagem estão completamente cercados por todos os lados. Eles não farão nenhum movimento sem que a gente saiba. A ponte da Rua 59 está bloqueada e segura. Só estamos esperando a nossa presa cair na armadilha.

O agente O sacudiu a cabeça negativamente.

– Isso me parece arriscado. Se sabemos onde estão, por que não agimos agora e os pegamos? Como pode ter certeza de que eles vão tentar a ponte?

O agente J ficou em pé, bocejou e se espreguiçou.

– Porque é o que eu faria se fosse eles. Olha, se tentarmos capturá-los em um local aberto, sempre há a chance de o garanhão fugir voando. Precisamos pegá-los em um lugar onde ele não possa usar as asas, e a pista central da ponte é perfeita para isso. A ponte funcionará como uma grande gaiola.

– E você tem certeza de que eles vão tentar sair da cidade? – o agente O quis saber.

O agente J assentiu.

– Eles têm que sair da cidade antes que as criaturas os encontrem de novo e a ponte é a rota mais próxima para se sair de Manhattan. Eles não podem se dar ao luxo de perder tempo indo até alguma das outras pontes, e mesmo que façam isso a gente também está nelas. A cidade de Nova York está toda vigiada. Não há como sair.

Ele soltou a sandália.

– Temos algumas horas antes de jogarmos a rede e a noite foi longa, por isso vou descansar. Se chegarem aqui antes do previsto, garanta que sejam separados. Quero falar com cada um deles sozinho, especialmente as crianças. Tenho o pressentimento de que a mulher que está com eles não é humana. Se ela for parecida com o nosso Mercúrio, não falará nada, mas tenho certeza de que as crianças abrirão o bico.

O agente T não parecia convencido.

– Se o Mercúrio não falou, o que o faz pensar que as crianças falarão?

– Tenho certeza porque sabemos que pelo menos uma delas é humana – o agente J respondeu. – E, diferentemente de nosso estranho amigo alienígena ou Olímpico, estou certo de que ela se mostrará bem mais suscetível aos poderes persuasivos da dor.

Paelen ficou chocado com o que estava ouvindo. Eles planejavam torturar a menina humana que viram na foto com o Pegasus. Ela era apenas uma criança, mas aqueles homens não pareciam se importar.

Os agentes finalmente saíram do escritório e fecharam a porta atrás deles. Paelen esperou um pouco para garantir que não iriam voltar. Quando teve certeza, segurou na grade, fez uma pequena força e os parafusos cederam facilmente, mas dessa vez ele foi mais cuidadoso. Em vez de empurrá-la completamente, apenas a dobrou. Quando havia espaço suficiente, estremeceu enquanto esticava seus ossos novamente.

Pouco a pouco, Paelen manipulou seus ossos até conseguir escorregar para o escritório do agente J, descendo suavemente até o chão. Sem retornar seu corpo à forma normal, pegou as sandálias de Mercúrio e as jogou no duto de ventilação, subindo rapidamente atrás delas. Depois fechou bem a grade, pegou as sandálias e voltou a sua forma normal, andando rapidamente pelos túneis e retornando ao seu quarto.

Paelen deixou as sandálias no túnel, perto do quarto, então se transformou dolorosamente mais uma vez, desceu para o quarto e recolocou a grade. Assim que garantiu que tudo parecia normal, deitou na cama e algemou novamente os pulsos e os tornozelos, depois retornou a sua forma normal.

Seu plano inicial era fugir e encontrar Pegasus, mas Paelen sabia que as chances de conseguir isso naquele mundo estranho eram, no máximo, remotas. Ouvindo o agente J dizer como estavam próximos de capturar o garanhão e Diana e levar ambos para aquela mesma instalação, ele soube o que precisava fazer: nada.

Ele sofreria as torturas e o que quer mais que planejassem. Ele não lutaria, não tentaria fugir, apenas esperaria até que os outros estivessem ali também. Então, no momento certo, Paelen pegaria as sandálias de Mercúrio e ajudaria Pegasus e Diana a fugir e juntos retornariam ao que sobrou do Olimpo.

Capítulo 21

Enquanto a carruagem ia devagar pela Rua 18, Emily estava contente por ninguém prestar muita atenção neles. Fora os helicópteros circulando pela cidade e quão mal ela estava se sentindo, em qualquer outro dia ela apreciaria muito aquele passeio, e se esforçou para manter os olhos abertos. Ela se sentiu muito quente e sabia que a febre estava aumentando. Diana continuava a abraçando com um braço e checava sua testa a toda hora.

– Aguente firme, criança – ela murmurou. – Não vai demorar muito.

Em seu estado febril, Emily achou que estava ouvindo a voz de sua mãe falando gentilmente com ela, encorajando-a a ir em frente.

– Pode deixar, mãe – ela balbuciou.

Diana a apertou carinhosamente. Grogue, Emily ouviu Diana falar com o seu pai.

– Onde está a mãe de Emily, Steve?

– Ela morreu há três meses – contou tristemente. – Isso foi muito duro para Emily. Ela e a mãe eram muito apegadas.

Ao ouvir a resposta do pai, Emily sentiu um nó na garganta. Sua mãe teria adorado Pegasus e estaria ali lutando com eles.

– Então vocês estão de luto – Diana respondeu gentilmente e depois abraçou Emily carinhosamente outra vez. – Pobre criança. Agora eu entendo.

A carruagem fez uma curva e começou a subir a Primeira Avenida. Lutando para se manter acordada, Emily via as ruas ficando para trás. Logo passaram pelos prédios das Nações Unidas. A cada quarteirão que deixavam para trás ela esperava ver os Nirads atacando, mas até o momento a viagem tinha sido calma e tranquila.

– As carruagens são permitidas na ponte, Steve? – Joel perguntou baixinho.

– Não, mas estou com meu distintivo para mostrar, se alguém tentar nos parar.

Logo eles estavam na rampa de acesso à entrada da ponte da Rua 50.

– Aqui vamos nós – Steve avisou. – É melhor irmos pela via interna e coberta ou pela pista externa e descoberta?

Pegasus relinchou várias vezes e depois bufou. Diana se inclinou para a frente para traduzir.

– Ele diz que prefere ir pela descoberta para o caso de algo dar errado. Disse que sente sua asa bem recuperada e que deve conseguir carregar a carruagem com ele se precisar.

– Se ele tem certeza disso... – Steve falou. – Fique à direita, Pegasus, assim pegaremos a pista descoberta.

Mas, quando a carruagem foi se aproximando, viram que havia congestionamento na ponte.

– Parece que muita gente teve a mesma ideia e está tentando sair da cidade – Joel falou. – A pista externa está lotada e completamente parada.

– Mas daquele lado as coisas estão andando – Diana sugeriu, apontando para as pistas centrais que levavam para a parte coberta da ponte. – Devemos ir por ali para não ficarmos parados.

– Você ouviu a dama, Pegasus – disse Steve. – Nos leve pela ponte e para fora de Manhattan.

Quando a carruagem se juntou ao tráfego que fluía bem, foi possível ouvir o estranho som dos cascos de ouro do garanhão batendo no chão de aço da ponte. Os outros carros reduziam a velocidade quando eles passavam, mas, fora isso, ninguém prestava atenção à carruagem puxada por um cavalo.

Quando estavam mais ou menos na metade, Emily viu que estavam sobre a Ilha Roosevelt, e tentou se lembrar quando fora a última vez que passaram por ali. Foi quando sua mãe ainda estava viva, bem mais de um ano atrás. Eles tinham ido fazer uma caminhada fora da cidade. Ela se lembrava da emoção de ir para Long Island e para o Parque Estadual de Wildwood e de como ela ficou feliz quando nadaram juntos e...

– Opa, opa! – disse Steve. – Isso não é nada bom.

Arrancada de suas memórias febris, Emily tentou entender o que estava acontecendo. O tráfego estava ficando mais lento e parando.

– Olhe lá, está tudo parado – Joel alertou apontando para as pistas que vinham no sentido contrário.

Pegasus soltou um relincho de aviso e começou a sacudir a cabeça; suas orelhas se levantaram e ele rangeu os dentes.

– O que está acontecendo? – Diana perguntou enquanto se sentava na frente e olhava em volta.

– Estou com um mau pressentimento a respeito disso – Joel falou.

– Pegasus também – Diana concordou.

Emily se sentou e olhou em volta. Seus olhos se arregalaram aterrorizados quando passaram pela entrada da ponte. Vários carros parados, atrás deles estavam caminhões do exército, de onde soldados saíam com as armas preparadas.

– Pai...

De repente, helicópteros armados surgiram de ambos os lados da ponte e pairaram perto deles, com suas armas apontadas diretamente para a carruagem.

– É uma armadilha! – o pai dela gritou.

– E nós caímos nela – Joel exclamou.

– Não se movam! Fiquem onde estão! – alertou uma voz vinda do alto-falante de um dos helicópteros. – Vocês estão completamente cercados. Fiquem onde estão!

Sem parar para pensar Steve pulou da carruagem.

– Me ajude aqui, Joel. Temos que soltar o Pegasus!

Emily tentou ficar em pé, mas sua perna infeccionada não conseguiu suportar seu peso e ela caiu sentada no assento. A garota não conseguia mais se mover sozinha. Tudo o que podia fazer era ver Diana ficar em pé acima dela e levantar sua lança, se preparando para atacar os militares.

– Diana, não faça isso! – Emily esticou a mão devagar e pegou a ponta do cabo da lança. – Eles vão matar você. Vá com o Pegs. Fuja, por favor. Salve o Olimpo!

– Não fale coisas sem sentido – Diana respondeu. – Não deixarei que esses homens tolos te machuquem. Se quiserem lutar, ficarei feliz em realizar seus desejos.

Todos ouviram as batidas de muitos pés na ponte quando os soldados começaram a vir de todas as direções.

– Ele está livre! – Steve gritou quando retirou a última das amarras de couro de Pegasus. Joel tirou o cobertor de cima das asas do garanhão e deu um tapa no traseiro dele.

– Vá em frente, Pegasus. Agora! – Joel gritou. – Fuja daqui! Encontre a Chama e salve nossos mundos!

Livre dos arreios, Pegasus se virou e correu para perto da carruagem. Relinchando alto para Emily, ele se inclinou para a frente e tentou levantá-la pela camiseta.

– Não, Pegs, não estou conseguindo me mexer muito! – Emily exclamou enquanto se esticava fracamente até ele. – Vá embora, por favor. Pegue Diana e fuja. Não posso deixar que capturem você. – Lágrimas caíram de seus olhos enquanto ela fracamente tentava empurrar o garanhão para longe. – Por favor... vá embora!

– Parem! – Vários soldados se aproximaram e levantaram suas armas. – Levantem as mãos e não se mexam!

– Vai logo, Pegs! – Emily gritou com suas últimas forças.

O ar foi tomado por um estranho som de tiros. A princípio, Emily achou que os soldados estavam simplesmente atirando neles, mas então viu muitos dardos atingindo Pegasus. Em segundos o traseiro dele parecia uma almofada de alfinetes cheia de dardos coloridos.

– Que loucura é essa? – Diana gritou furiosa quando também foi atingida por dardos tranquilizantes e os arrancou de seus braços e jogou longe. Steve e Joel também foram atingidos e caíram no chão no mesmo instante, inconscientes.

Por causa de sua posição, Emily não foi atingida, mas quando mais homens se aproximaram, Pegasus abriu suas asas para protegê-la, recebendo os dardos que seriam para ela.

– Não se preocupe comigo, Pegs! Vá embora, por favor!

Mas Pegasus se recusou a partir, empinando nas patas traseiras, jogando a cabeça para trás e relinchando raivosamente. Suas patas da frente cortavam o ar de maneira furiosa e prometiam uma morte violenta para qualquer soldado que tentasse se aproximar. Diana se juntou a ele no grito de guerra, levantando sua lança e se preparando para atacar os soldados.

Então Emily sentiu uma picada no pescoço quando um dardo a atingiu. Ela ouviu o guincho enraivecido de Pegasus e o viu partir para o ataque no exato momento em que tudo ficou escuro.

Capítulo 22

Emily abriu os olhos. Ela estava deitada em uma cama de hospital, em um quarto branco e limpo. Havia soro em seu braço e várias bolsinhas com líquido que o alimentavam. Ao lado de sua cama, vários equipamentos com fios estavam ligados em seu peito e cabeça; eles soltavam bips de acordo com as batidas de seu coração. A perna machucada estava levantada e envolvida por grossas camadas de bandagens e, apesar dos cuidados, ainda latejava dolorosamente.

– Bom dia, Emily. – Uma enfermeira se levantou de uma cadeira ao lado da cama. – Não tente se mexer, por favor. Vou chamar o médico.

Emily se esforçou para lembrar o que havia acontecido, e então tudo voltou de uma vez. A UCP, a ponte, Pegasus relinchando loucamente, Diana segurando a lança e pronta para atacar. Lembrou-se do dardo a atingindo e do mundo escurecendo. Aquela última lembrança fez com que sentisse um calafrio na espinha.

Ela tentou se levantar da cama, mas a dor e a posição na qual estava sua perna a impediram. Ofegando, deitou-se novamente.

Ela não tinha nenhuma condição de lutar. A enfermeira retornou com dois homens. Um estava vestido como médico, mas o outro usava um terno preto e tinha uma expressão austera no rosto. Ambos eram de meia-idade.

– Bom dia, Emily – o médico falou em um tom amigável que não combinava com seus olhos frios. – Como estamos nos sentindo hoje?

O outro homem nem fingia ser legal. Naquele instante Emily compreendeu tudo o que o pai lhe contara sobre aquela agência governamental secreta. Ela estava com um grande problema.

– Estamos? Não sei você, mas eu me sinto péssima – disse e olhou para o outro homem. – Você é da UCP?

– Sim, eu trabalho para a Unidade Central de Pesquisas – ele respondeu friamente. – Pode me chamar de agente J. Tenho perguntas muito importantes para lhe fazer. – Então olhou para o médico. – Pode sair agora. Emily e eu vamos bater um papo.

– Eu realmente preciso examinar a minha paciente – o médico respondeu.

– E você vai, mas mais tarde.

Aquele tom de voz sugeria que não havia possibilidade de discussão. Suas ordens deviam ser obedecidas. Sem dizer mais nada, o médico saiu da sala.

– Onde está o meu pai? – Emily perguntou nervosa. – Posso vê-lo, por favor?

– Infelizmente, você não está bem o suficiente para receber visitas. Ainda está com uma grave infecção e sofreu muitos danos musculares. Aliás, tem sorte de nossos cirurgiões terem conseguido salvar sua perna, mas, me desculpe ter que falar isso, encontrará dificuldades para andar de agora em diante.

Emily não se sentia nem um pouco com sorte. Ela se sentia terrível e, mais do que isso, estava aterrorizada. Onde estava? O que fariam com seu pai e Joel? Será que estavam machucando Pegasus? E Diana?

– Por favor, me diga onde está o meu pai.

– Ele está por perto. – O agente se aproximou da cama. – Nossa primeira preocupação é tomar conta de você. Talvez com o tempo, se cooperar, eu deixe que ele a visite.

Emily viu frieza naqueles olhos pálidos.

– Cooperar?

– Sim, cooperar – disse o agente se sentando na cadeira ao lado da cama. – Tenho muitas perguntas que precisam de respostas e você é a pessoa certa para isso.

– Eu? Mas não sei nada! Só quero ver o meu pai.

– Primeiro você vai responder minhas perguntas, depois veremos o que fazer a respeito de seu pai.

O agente J pegou um pequeno gravador do bolso e o ligou.

– Agora quero que me conte o que aconteceu. Onde você encontrou o cavalo voador? De onde ele vem?

– O nome dele é Pegasus – ela corrigiu. – Ele não é um cavalo e veio do Olimpo, mas foi atingido por um raio e caiu no terraço do meu prédio. Isso é tudo o que sei.

– Tenho certeza de que sabe um pouco mais do que isso – o agente J provocou.

– Não sei não – Emily insistiu. – Onde ele está? Preciso vê-lo, por favor. Ele não entenderá o que está acontecendo e vai ficar com muito medo de você.

– O garanhão está bem – o homem falou. – Ele nos deu muito trabalho no começo e matou muitos de meus homens na ponte, mas conseguimos acalmá-lo depois daquilo.

Emily ficou confusa com aquela resposta, mas ficou ainda mais preocupada e temerosa por Pegasus. Ela se lembrou dos soldados com as armas apontadas para eles na ponte.

– Vocês não atiraram nele, né?

– Tivemos que atirar. Ele estava matando meus homens.

– Vocês atiraram no Pegasus! – Emily exclamou. – Por quê? Ele só estava nos protegendo! Ele está bem? Está vivo?

– Já disse que ele está bem, Emily. Seus ferimentos estão sendo tratados e ele está bem mais calmo agora.

– Por que não deixa a gente em paz? – Lágrimas surgiram em seus olhos. – Não estávamos fazendo mal a ninguém! O Pegasus só quer ir pra casa!

– E onde é a casa dele? – o agente J perguntou, parecendo bem alerta.

– Já falei – Emily respondeu fungando. – No Olimpo.

– Sim, você me falou, mas onde exatamente é o Olimpo? – ele pressionou. – Como se chega lá?

– Não sei – ela falou. – Posso vê-lo, por favor?

– Ainda não. Você não está em condições de andar.

Emily odiava ter de concordar, mas ele tinha razão. Ela estava mesmo se sentindo péssima.

– Há quanto tempo estamos aqui?

– Quatro dias.

– Quatro?! – ela exclamou, ficando meio sem ar.

– Já disse que estava muito mal – o agente J continuou. – Você está com uma infecção séria e achamos que não ia sobreviver; estava à beira da morte, mas conseguiu se recuperar. Você é uma jovem muito determinada. Agora vou perguntar de novo: o que sabe sobre o cavalo alado? Por que ele está aqui?

– Já falei que ele não é um cavalo! – Emily esbravejou se sentando. Tão rapidamente quanto se sentou, teve que se deitar, pois o movimento a fez se sentir enjoada. – Ele é o Pegasus – ela falou devagar – e não deveria estar aqui. Você tem que soltá-lo. E a Diana também.

– Ah sim, a Diana – o agente J falou. – Uma mulher muito interessante mesmo. Incrivelmente forte. Ela conseguiu resistir a todas as nossas perguntas. Nossos cientistas ainda estão tentando descobrir o que ela é.

– Ela é a filha de Júpiter! – Emily falou, ficando mais furiosa. – É o que ela é! E quando Júpiter descobrir o que você fez com ela e com Pegasus, ficará muito bravo!

– Júpiter, é? Bom, se eles são mesmo do Olimpo como você diz, por que Júpiter ainda não veio nos ver? O que está esperando? Eu ficaria mais do que contente em conversar sobre Diana com ele.

Olhando aqueles olhos frios e curiosos, algo dentro de Emily a alertava a não falar mais nada. Se depois de quatro dias ele ainda precisava de respostas, provavelmente seu pai e Joel também não tinham cooperado. Logo entendeu que quanto mais falasse, pior seria para os outros. Então fechou os olhos.

– Não estou me sentindo bem, estou muito cansada. Me deixe dormir, por favor.

– Daqui a pouco – ele respondeu. – Apenas me diga por que Pegasus e Diana estão aqui?

– Não sei – Emily insistiu. – Por que não pergunta diretamente a eles?

O agente J sacudiu a cabeça parecendo nervoso.

– Eu perguntei. Diana não fala comigo e eu pareceria um idiota se tentasse falar com um cavalo.

– Pegasus não é um cavalo! – ela gritou. Seu pai sempre a ensinou que a violência nunca é a solução, mas naquele momento ela queria muito dar um soco na boca do agente J. – Ele é um Olímpico!

– Cavalo ou não, quero saber por que eles estão aqui e você vai me dizer!

– Já falei. Não sei por que estão aqui. Só sei que você tem que deixá-los ir; eles não pertencem a este mundo.

– E o Mercúrio? – o agente perguntou.

– Mercúrio? – ela repetiu confusa. – O planeta?

Ele fez que não com a cabeça.

– Não o planeta – disse irritado. – Mercúrio, o mensageiro do Olimpo. Ele também está aqui. Se a história deles for verdadeira, quer dizer que tenho pelo menos três Olímpicos na minha cidade, e nem estou levando em consideração aquelas criaturas, seja lá o que forem.

– São os Nirads – Emily respondeu sem pensar, mas na hora ela percebeu o erro que havia cometido. O agente J a tinha enganado e a feito contar mais do que queria.

– Nirads – ele repetiu. – E por que estão aqui?

Emily não queria responder mais nenhuma pergunta. Ela estava se sentindo muito mal e estava cometendo muitos deslizes, por isso fechou os olhos e se recostou.

– Quero ver o meu pai.

– Responda a minha pergunta – ele pressionou.

Emily não disse nada. Com os olhos ainda fechados, podia ouvir a respiração dele, que estava cada vez mais nervoso. De repente ela sentiu uma dor lancinante em sua perna machucada. Urrando de agonia, abriu os olhos e pôde ver um sorriso maligno surgir no rosto do agente J, que, com a mão em sua perna levantada, apertava cruelmente os ferimentos.

– Por que eles estão aqui? – perguntou. – Me fale!

A dor era excruciante. Emily nunca sentira tamanha agonia, que roubava o grito de sua garganta e o ar de seus pulmões. Ela começou a ver estrelas e a ouvir o som de água corrente. Momentos depois, desmaiou.

Capítulo 23

Paelen cobriu a boca com as mãos enquanto assistia aquela cena pela grade de ventilação que havia sobre a cama da garota. Ele sabia que o agente J podia ser cruel em seus interrogatórios, mas jamais imaginaria que ele poderia fazer aquilo com uma criança.

Enquanto voltava, ficou agradecido por ela ter desmaiado, pois achava que nem mesmo ele aguentaria uma pressão daquelas em um ferimento recente. Quando tudo aquilo acabasse, Paelen prometeu a si mesmo que o agente J descobriria que machucar aquela garota tinha sido um grande erro.

Desde que os outros chegaram na instalação, os agentes J e O pareciam ter perdido o interesse nele, gastando cada vez menos tempo na tentativa de fazê-lo falar. Às vezes Paelen passava o dia todo sem ver ninguém, o que dava a ele tempo para escapar do quarto e procurar por Diana e Pegasus, mas ele não tinha ideia de onde os outros Olímpicos estavam sendo mantidos. Até o momento, só tinha conseguido encontrar o quarto de Emily, que ficava no mesmo corredor que o dele e, pela grade da ventilação, ouviu os médicos falando sobre ela.

No duto que levava ao seu quarto, Paelen avistou as sandálias de Mercúrio bem a sua frente. Empurrou-as de lado para poder passar e murmurou:

– Onde está você, Diana? Preciso encontrá-la!

Paelen ainda estava encostado nas sandálias quando falou aquilo. Imediatamente as pequenas asas ganharam vida e começaram a flutuar e se mover. Paelen deu um pulo e quase gritou no apertado túnel de ventilação quando elas bateram em sua mão. Instintivamente, jogou-as para longe. As asas pararam de bater na hora e voltaram ao estado normal de inércia. Paelen esticou a mão e cutucou a mais próxima com cuidado. Nada aconteceu. Então esticou a mão de novo e a pegou. Nada. Pegou a outra sandália e mesmo assim as asas continuaram imóveis.

– Encontrem Diana – disse baixinho.

As asas começaram a bater loucamente, dando vida às sandálias. Paelen as segurou firme, mas não estava preparado para a repentina mudança de direção e os giros em uma área tão apertada. Se ele não tivesse a habilidade de esticar o próprio corpo, o poder das sandálias teria quebrado todos os seus ossos quando o viraram e seguiram em frente para obedecer o comando recebido.

Se segurando para não gritar de dor e surpresa, Paelen foi sendo levado, mal conseguindo ver, arrastado incontrolavelmente e com muito barulho pelo extenso labirinto de dutos de ventilação daquela instalação. Ele temeu por sua vida. Em um momento as sandálias seguiram para a esquerda, depois, em outra bifurcação, entraram à direita e, no momento seguinte, elas o levaram até a beirada de um duto que descia.

– Não, esperem, por favor! – exclamou quando viu o que as sandálias de Mercúrio pretendiam fazer. – Nããããooo...

Sem parar, elas o puxaram da beirada e mergulharam no duto. Paelen gritou e ouviu o eco de seu terror deslizando pelo túnel interminável, mas mesmo assim elas não pararam. Batendo cotovelos, ombros e joelhos nas paredes do duto, ele continuava caindo. As sandálias não estavam obedecendo ao seu comando de achar Diana. Estavam tentando matá-lo!

Muito antes de chegar ao fundo, elas mudaram de direção e dispararam em uma nova série de túneis que se afastavam do duto por onde desceram. Finalmente, entraram em um longo túnel, que acabava abruptamente em outra saída de ventilação.

– Parem, por favor! – Paelen implorou pouco antes de baterem na grade.

As sandálias obedeceram imediatamente ao seu comando e pararam, dobrando as pequenas asas e ficando completamente imóveis. Paelen também ficou deitado e inerte, tentando recuperar o fôlego. Aquele tinha sido o pior passeio de sua vida; pior até do que a vez em que roubara as sandálias de Mercúrio e tentara usá-las. Os malvados monstrinhos alados voaram direto para uma coluna e Paelen bateu com tudo nela. Quando acordou, Mercúrio flutuava furioso acima dele.

Mas mesmo aquilo não fora tão terrível quanto o assustador voo que tinha acabado de fazer. Paelen tinha certeza de que ia vomitar. Deitado de barriga para cima, respirou fundo várias vezes e tentou fazer seu coração bater mais devagar.

Quando voltou a pensar com clareza, virou-se e, apoiando-se nas mãos e joelhos, seguiu até a grade de ventilação. Paelen perdeu o fôlego novamente quando viu Diana em uma cama estreita, presa em grossas correntes que estavam enroladas em sua cintura. Estas ligavam as correntes que prendiam seus pulsos e, pelo que podia ver lá de cima, os tornozelos estavam na mesma situação. Todas aquelas correntes estavam presas à parede atrás dela.

– Estou ouvindo você. Apareça se tiver coragem.

Paelen ficou parado. Aquela era Diana, filha de Júpiter, conhecida por seu temperamento feroz. Mais de uma vez ele a viu deixar Hércules de joelhos, com sua língua afiada e força feroz. Até o tio, Netuno, tinha medo da sobrinha e fazia o possível para agradá-la. O único que conseguia controlá-la era seu irmão gêmeo, Apolo, mas Paelen o viu morrer no Olimpo. Ele próprio passara a vida toda tentando evitá-la. Se Diana sabia o que ele fizera com Pegasus, Paelen realmente duvidava que aquelas correntes poderiam segurá-la.

Respirando fundo, empurrou um canto da grade de ventilação. Quando ela cedeu, colocou a cabeça para fora cautelosamente.

– Diana?

– Paelen! – ela respondeu furiosa. – Me disseram que estava neste mundo. Você roubou as rédeas de Pegasus, seu pequeno e tolo ladrão! Tem alguma ideia do que fez?

– Me perdoe Diana, por favor! – Paelen pediu enquanto se esticava dolorosamente para passar pela saída de ventilação. Depois voltou a sua forma normal e se ajoelhou ao lado da cama. – Sei que errei, eu realmente sinto muito. Só queria melhorar minha vida.

– Roubando as rédeas douradas?

Paelen assentiu.

– Achei que se as roubasse de Pegasus e depois as devolvesse, ele passaria a gostar de mim e talvez até me deixasse montar nele. Então todos no Olimpo veriam que sou tão bom quanto o resto de vocês e talvez até me respeitassem e não me vissem apenas como um ladrão. Juro que não queria fazer mal a ninguém.

– Você fez o que fez para ser respeitado? – ela falou incrédula.

Ele assentiu com a cabeça.

– Só queria ser igual a todos vocês – ele murmurou.

Diana sacudiu a cabeça.

– Seu jovem tolo. Fez tudo isso apenas para provar que era igual a todos nós? Você não enxerga? Como pode ser tão cego? Paelen, você é um Olímpico, exatamente igual a mim, ao meu pai e ao meu irmão. Não somos melhores que você, mas, agora, o dano que causou é incomensurável. Você, sozinho, condenou todos nós.

– Eu? Como? – Paelen perguntou. – O que fiz além de fugir da batalha e pegar as rédeas de Pegasus?

Diana sacudiu a cabeça negativamente.

– Precisamos daquelas rédeas para lutar contra os Nirads.

– Não entendi – Paelen disse, confuso. – O que elas podem fazer que o Pegasus não possa? Eu vi o que os cascos dele fizeram a um Nirad. Um deles está morto, nesta instalação, e ele morreu por causa de Pegasus, não das rédeas.

– Não são especificamente as rédeas, e sim o ouro de que são feitas – Diana explicou. – Eu não sabia que o Pegasus podia matá-los com seus cascos, mas lá no Olimpo descobrimos que o ouro das rédeas era venenoso para os Nirads. Apenas um toque já os deixava mais fracos e um contato mais prolongado os matava. As rédeas são nossa única esperança de termos armas contra os Nirads, mas agora elas se foram, o Olimpo caiu e meu pai está acorrentado, talvez até morto.

Paelen se sentou sobre os calcanhares e olhou para Diana. Em toda a sua vida, ele nunca a vira tão derrotada. Deitada naquela cama e acorrentada, o olhar de desespero em seu rosto era mais do que ele podia aguentar.

– Você está errada, Diana. As rédeas não estão perdidas, elas estão aqui, neste lugar estranho. Estou com as sandálias de Mercúrio e elas podem me guiar até as rédeas do mesmo jeito que me trouxeram até você. Ainda podemos forjar armas e derrotar os Nirads. Deixe-me ajudar, por favor. Deixe eu provar a você e a todos que sou mais do que um simples ladrão.

Diana sacudiu a cabeça tristemente.

– É tarde demais, Paelen. Os homens daqui também pegaram o Pegasus e atiraram nele; eu o vi caindo. Talvez esteja morto.

– Ele não está morto. – Paelen contou a Diana o que tinha ouvido no quarto de Emily. – O agente J insistiu que Pegasus está vivo. Sei que as sandálias podem me levar até ele se quisermos.

– E a Emily? Você realmente a viu?

Paelen assentiu.

– O quarto dela é bem próximo do meu, mas ela está muito doente. Sua perna está bastante ferida e o agente J disse que ela quase morreu.

– Os Nirads a pegaram – Diana falou. – Ela e outro garoto, o Joel, lutaram bravamente para proteger o Pegasus.

– A garota humana lutou contra um Nirad? – Paelen perguntou incrédulo.

– Ela é uma criança muito especial. Quando partirmos, temos que levar ela e Joel conosco. Precisamos deles para salvar o Olimpo.

– Não entendo. Como simples humanos podem salvar nosso lar?

– É complicado demais para explicar agora – ela respondeu –, mas precisamos deles se quisermos ter sucesso em nossa empreitada.

Paelen balançou a cabeça.

– Vai ser difícil. Aquele homem, o agente J, já a torturou uma vez para tentar conseguir respostas sobre nós. Tenho certeza de que fará muito mais para obrigá-la a falar.

– Ele torturou Emily? – Diana exclamou. – Eu vou matar aquele maldito! – Ela fez força e esticou as correntes que a prendiam. – Ele não tem ideia do que está fazendo. Sem ela e Joel estaremos todos condenados!

Diana se esforçou para soltar as mãos das correntes, mas elas resistiram.

– Não como ambrosia há muito tempo, por isso estou fraca e não consigo quebrar estas correntes. – Ela olhou para Paelen. – Gostaria de poder mudar a forma do meu corpo como você. Seria muito mais fácil de escapar destas coisas.

Desistindo do esforço, ela se largou na cama.

– Ouça o que vou dizer, Paelen. Se está sendo sincero em querer ajudar, você pode fazer algo. Use as sandálias de Mercúrio para encontrar todo mundo. Conte a Pegasus o que aconteceu e diga que quer ajudar. Conte sobre Emily e o que o agente J fez com ela. Depois encontre Joel e Steve, o pai de Emily, e conte-lhes o que sabe. Precisamos sair daqui assim que ela estiver bem o suficiente para viajar. Talvez ainda haja tempo para salvarmos os dois mundos, mas você tem que ser muito cuidadoso. Use todas as suas habilidades de ladrão; não deixe que o peguem. Se você falhar, todos falhamos.

– Tomarei muito cuidado – Paelen prometeu, ficando em pé. – Farei isso pelo Olimpo.

Parado orgulhosamente diante de Diana, Paelen começou a esticar seus ossos e tentou esconder a dor que aquilo causava, para que ela não percebesse sua fraqueza.

– Não vou falhar – ele prometeu enquanto entrava pelo duto de ventilação.

Capítulo 24

Quando Emily acordou de novo, estava sozinha em seu quarto. Sua perna latejava impiedosamente no local onde aquele homem terrível a tinha pressionado. Ela se lembrava de suas perguntas curiosas e da cruel expressão em seus olhos quando lhe contou que tinha atirado em Pegasus. Será que estava mentindo ou Pegs tinha mesmo levado um tiro? Será que estava morto? E os outros?

O peso da preocupação caiu sobre ela enquanto permanecia ali, deitada e sozinha. A UCP era tão maligna quanto seu pai lhe havia dito. Talvez até pior. O agente J era a pessoa mais perversa que ela já tinha conhecido e a última coisa de que se lembrava era do sorriso cruel em seu rosto e o brilho em seus olhos enquanto ele apertava sua perna machucada.

Emily olhou em volta. Enquanto esteve inconsciente, ela tinha sido desconectada do monitor cardíaco e das outras máquinas. Mas ainda recebia soro na veia e várias bolsas do líquido a alimentavam através de seu braço. O que quer que fosse, aquilo estava surtindo efeito. Ela se sentia bem melhor, apesar da perna ainda doer, mas a febre tinha diminuído e ela não mais estava confusa.

Com o quarto silencioso, ouviu os estranhos sons que vinham de cima de sua cama e, ao olhar para o alto, deu um pulo quando viu dedos empurrando silenciosamente a grade de ventilação, que se abriu, e duas mãos estranhamente longas saíram do duto.

– Olá? – ela chamou.

Emily ficou olhando hipnotizada quando dois braços muito longos e magros deslizaram para fora, depois um emaranhado de cabelos castanho escuros trazendo consigo uma cabeça de formato bem estranho. Depois, ombros dolorosamente finos saíram e, segundo a segundo, mais daquela coisa que parecia uma cobra saía do duto de ventilação.

Os olhos dela se voltaram para a porta e Emily pensou se deveria pedir ajuda. Será que aquilo era um novo tipo de criatura que tinha vindo matá-la? Será que tinha sido mandada pelos Nirads? Quando ela abriu a boca para gritar, a criatura-cobra falou.

– Não se assuste, Emily, estou aqui para ajudar.

Segurando o grito, a garota percebeu que a coisa usava uma camisola de hospital igual à dela, mas o recheio da camisola era a coisa mais estranha que Emily já vira na vida. Era quase humano, com dois braços, duas pernas e uma cabeça, mas totalmente distorcido.

A criatura pousou suavemente no chão de seu quarto. Emily ouviu o terrível som de ossos se quebrando quando a criatura começou a retornar a sua forma humana. Agora um jovem rapaz estava ao lado de sua cama. Ele era quase bonito, de um jeito meio estranho. Parecia um pouco mais velho que Joel, mas era menor e tinha calorosos e sorridentes olhos castanhos. Quando olhou para ele, Emily teve certeza de que já o vira antes e, então, de repente, seus olhos se arregalaram quando finalmente se lembrou.

– Paelen! – disse. – Você é Paelen, certo? Vi você roubando as rédeas de Pegasus antes dos dois serem atingidos por um raio.

Uma expressão de total surpresa surgiu no rosto dele.

– Como você me conhece?

– O Pegasus me mostrou – disse e, então, sua voz tornou-se furiosa. – Vi o que você fez! Ele não teria sido atingido se você não tivesse roubado as rédeas e atraído o raio!

– Eu sei, e sinto muito por isso – Paelen falou abaixando a cabeça. – Estou tentando compensar o que fiz e por isso vim aqui para ajudar. Me ouça, por favor, pois não tenho muito tempo. Já falei com Diana...

– Você viu a Diana? – Emily interrompeu. – Ela está bem? E o Pegs? Me disseram que atiraram nele, é verdade? Ele está vivo? Estou com tanto medo por ele! E o meu pai? Você encontrou ele e o Joel?

Paelen levantou as mãos para silenciar aquela enxurrada de perguntas.

– Uma pergunta de cada vez, por favor. Sim, eu vi Diana, ela também está neste lugar com a gente e parece bem, apesar de estar acorrentada. Ainda não vi o Pegasus, mas vou atrás dele depois de falar com você. Também não vi seu pai ou Joel. – Ele fez uma pausa e se aproximou dela. – Só vim ver se estava bem. Eu estava escondido ali em cima – falou apontando para a entrada de ar – e vi o que aquele agente fez com sua perna. Ele é um homem perigoso e cruel. Tive mais de um encontro desagradável com ele.

Paelen se aproximou mais, ansioso para passar logo sua mensagem.

– Ouça bem, Emily. Quando aquele homem voltar, e acredite, ele voltará, diga a ele tudo, menos a verdade. Faça com que suas afirmações pareçam verdadeiras. Não se recuse a responder as perguntas, ou ele a machucará mais do que da última vez. Diana me contou o que você fez pelo Pegasus e como se feriu tentando protegê-lo. Ela também disse que você e Joel nos ajudarão a salvar o Olimpo, mas para isso você precisa ficar boa. Não podemos deixar este lugar até que esteja pronta para viajar.

– A Diana falou mesmo tudo isso?

Paelen assentiu.

– Agora preciso encontrar os outros e dizer a eles o que está acontecendo. Depois planejaremos nossa fuga, que só ocorrerá depois que você estiver bem o suficiente para viajar.

– Eu estou bem o suficiente para partir agora mesmo – Emily falou e se inclinou para a frente, a fim de soltar as amarras que seguravam sua perna suspensa no ar, mas, ao fazer isso, ela ficou tonta.

– Pare, você ainda não está bem! – ele retrucou.

– Eu estou ótima! – Emily insistiu e se esforçou para se mover.

– Não está não! – Paelen retrucou, segurando gentilmente os ombros dela e a recostando de volta. – Você precisa de um pouco mais de tempo para se recuperar. E eu ainda tenho que achar os outros antes de fazermos qualquer coisa. Se o Pegasus levou mesmo um tiro, talvez também precise de tempo para se recuperar.

Emily se rendeu. Paelen tinha razão, ela realmente ainda não estava bem para andar por aí.

– Ele vai precisar de açúcar. O Pegs não come comida de cavalo, ele precisa de coisas doces.

– Eu sei. – Um sorriso charmoso e meio torto surgiu no rosto de Paelen. – Sou exatamente igual. Prefiro comer chocolate.

– Eu também – Emily concordou –, mas as pessoas daqui acham que o Pegs é um cavalo e não darão o que ele precisa comer de verdade.

– Então eu farei isso – Paelen falou. – Prometo a você, Emily. Pegasus terá tudo o que necessitar para recuperar sua força, mas o que precisamos agora é que você descanse, assim poderemos agir logo.

Emily assentiu com a cabeça e deitou novamente.

– Acho que tem razão, mas existe uma coisa que pode mudar todos os nossos planos.

– E o que é? – ele perguntou.

– Os Nirads. Eles podem rastrear o Pegasus e a mim também. Diana disse que é porque eles provaram o nosso sangue e por isso conseguem nos seguir a qualquer lugar que formos – Emily explicou. – Se já estamos aqui há quatro dias, eles talvez estejam bem perto, mas como não sei onde estamos, não tenho ideia de quão perto possam estar.

Paelen assentiu e pareceu estar pensando no que ela dissera enquanto coçava o queixo.

– Quando eu estava em um lugar chamado Hospital Bellevue os homens daqui foram me pegar. Eles me acorrentaram a uma cama estreita e me carregaram em uma estranha máquina voadora. Nós viajamos uma curta distância até uma pequena ilha próxima de onde estávamos. Este lugar fica bem fundo na terra, sob aquela ilha, mas não sei a que profundidade.

– Uma pequena ilha? – Emily repetiu. – Estamos em uma ilha ao lado de Manhattan?

Paelen deu de ombros.

– Acho que sim. Havia uma estátua bem alta na água, uma mulher verde segurando uma tocha, e ela olhava para nós.

– A estátua de uma mulher verde? – Emily refletiu e então estalou os dedos. – Bom, só pode ser a Estátua da Liberdade! Deixa eu pensar onde estamos... Talvez na Ilha Roosevelt? – Ela negou com a cabeça. – Não, espere, isso fica do outro lado da cidade. Talvez a Ilha Ellis? Será que a Estátua da Liberdade fica de frente para a Ilha Ellis?

Paelen parecia confuso.

– Este é o seu mundo, não o meu.

Emily concordou com a cabeça.

– Sim, eu sei. Mas, pelo que me lembro, a Dona Liberdade não fica de frente para a Ilha Ellis. – Então a resposta finalmente surgiu em sua mente: a Ilha do Governador. Quando ela era pequena, sabia que os filhos dos funcionários da guarda costeira moravam lá, mas então precisaram sair e foram realocados. Até onde todos sabiam, a Ilha do Governador agora estava vazia. Que lugar melhor para esconder uma agência secreta do governo do que uma ilha vazia?

– Já sei onde estamos, Paelen.

– Isso é bom.

– Não, não é! – Emily esticou o braço e pegou na mão dele. – Você não entende. Estamos na Ilha do Governador, que é perto demais de Manhattan. Se os Nirads souberem nadar, é uma viagem bem curta pela água e logo estarão aqui. – Ela olhou intensamente para Paelen. – Eles podem nadar?

Paelen fez que não com a cabeça.

– Não, eles afundam. No Olimpo, foram os rios que os atrasaram, até que descobriram outras maneiras de atravessá-los.

– Eles sabem usar barcos? – Emily perguntou ansiosa.

Paelen deu de ombros de novo.

– Não sei. A verdade é que sei muito pouco a respeito dos Nirads. Até eles atacarem o Olimpo, nunca tinha ouvido falar deles.

– Temos que sair daqui o mais rápido possível; estamos muito perto da cidade. Contei pelo menos quatorze Nirads atrás de nós, e, se roubarem barcos no ancoradouro, podem vir com eles até aqui. Mesmo se estivermos bem abaixo da superfície, eles são fortes o suficiente para chegar até nós.

– Preciso contar tudo para o Pegasus e você precisa se concentrar em melhorar. Se for mesmo como diz e os Nirads estiverem perto, precisaremos partir em breve.

– Pode deixar – Emily concordou. – Apenas encontre o Pegs e diga a ele o que sabe. Depois ache o meu pai e o Joel, por favor. Eles também precisam saber de tudo.

– Sim, claro – Paelen deu um passo para trás e Emily assistiu com um fascínio macabro enquanto ele começava a manipular seu corpo novamente.

– Isso dói? – ela perguntou, tremendo ao ouvir o som de ossos estalando.

– Sim, na verdade dói. E bastante! – Paelen respondeu quando terminou de se esticar. – Mas me permite caber em espaços bem apertados que ninguém mais consegue passar. Júpiter ficou furioso quando consegui escapar de sua prisão.

– Júpiter colocou você na prisão?

A cabeça de cobra fez que sim.

– Ele me pegou roubando em seu palácio e mandou me prender, mas acabei escapando. Talvez, se eu sobreviver a isso tudo, ele me perdoe e me deixe livre.

– Se conseguirmos sobreviver a isso e salvarmos o Olimpo, tenho certeza de que ele fará muito mais do que perdoar você. Ele o considerará um herói.

Paelen sorriu alegremente.

– Acha que ele faria isso?

Em sua forma de cobra, o sorriso de Paelen era horrível de se ver. Emily desviou os olhos para não passar mal.

– Tenho certeza de que ele fará isso – disse.

– Então farei o melhor que puder por todos nós.

Quando Paelen terminou de se enfiar novamente no duto de ventilação, Emily se ajeitou na cama. Tudo estava acontecendo tão rápido que ela mal conseguia manter os pensamentos alinhados. Eles estavam no subterrâneo, bem abaixo da Ilha do Governador. Pegasus parecia ter levado um tiro e Diana estava acorrentada. Seu pai e Joel tinham sido escondidos em algum lugar desconhecido e os Nirads estavam a apenas uma curta viagem de barco daquele lugar.

Emily rezou para que Paelen estivesse falando a verdade e que realmente os ajudasse. Caso contrário, ela não conseguia ver um jeito de escaparem. Enquanto tentava pensar na melhor maneira de agirem, o sono dominou seu corpo exausto. Logo Emily se rendeu a ele e adormeceu.

Capítulo 25

Paelen estava em um duto de ventilação pensando no que deveria fazer a seguir. Ele sabia que era tarde da noite porque houve a troca da guarda do lado de fora de seu quarto e as atividades no prédio diminuíram.

Ele tinha tempo, pois ninguém apareceria em seu quarto até a manhã seguinte. Aonde ele iria agora, ver o pai de Emily? Joel? Ou aquele que ele mais temia encontrar, Pegasus? Encarar Diana foi difícil, mas, no fim, ela podia ser convencida. Com Pegasus seria diferente. Ele não tinha como escapar do fato de ter roubado as rédeas do garanhão e ter pensado em domá-lo.

Ele sabia e Pegasus também. Será que conseguiria convencê-lo de que tinha mudado e que queria ajudar? Alguma hora ele teria que encarar o garanhão e aquele era um momento bom como outro qualquer.

– Me levem até Pegasus – Paelen ordenou.

As asas das sandálias começaram a bater imediatamente e, apesar de ele tentar se preparar para ser arrastado dolorosamente por um labirinto de dutos através do prédio, a experiência continuou sendo dura e o machucou.

Pegasus era mantido na parte mais subterrânea da instalação, abaixo do andar onde estava o Nirad morto. Enquanto as sandálias levavam Paelen pelo sistema de ventilação, ele sentiu o cheiro do duto que levava ao laboratório onde o monstro havia sido cortado e ficou feliz por elas não terem parado. As sandálias finalmente começaram a desacelerar e viraram em um túnel que terminava em uma grade de ventilação. Paelen sentiu o cheiro adocicado do garanhão.

– Parem – ordenou.

Ele colocou as sandálias de lado e se arrastou até a grade. Quando olhou por ela, Paelen ficou sem ar com a primeira visão que teve do garanhão.

Pegasus estava irreconhecível. A única coisa remotamente familiar nele eram suas asas, que ainda eram brancas enquanto o resto do corpo era uma terrível combinação de marrom e preto. Mas ainda pior do que as cores era o estado dele.

Pegasus estava deitado e imóvel em um monte de palha. Seu peito e a lateral estavam cobertos por bandagens grossas e suas asas estavam abertas e mantidas em ângulos não confortáveis. Por um momento Paelen temeu que o grande garanhão estivesse morto. Mas, enquanto observava, percebeu as laterais dele subirem e descerem em uma respiração fraca.

Depois de abrir a grade, Paelen desceu até o quarto.

– Pegasus? – ele chamou baixinho.

Nada.

Paelen chamou de novo enquanto se aproximava com cuidado da cabeça do animal.

– Por favor, sou eu, Paelen. Vim aqui para ajudá-lo.

Quando se ajoelhou ao lado de Pegasus, ele acordou. Do mesmo jeito que com Diana, Paelen jamais vira tanta dor e desespero em um olhar. Ele sentiu os olhos marejados enquanto acariciava a face do garanhão.

– Eu fiz isso com você – ele falou miseravelmente. – Por favor, me perdoe. Se soubesse o que iria acontecer, teria encarado a minha destruição no Olimpo com alegria em vez de vê-lo assim.

Pegasus soltou um suspiro longo e inquisidor.

– Emily está aqui – Paelen respondeu fungando. – Está viva, se recuperando dos ferimentos e muito preocupada com você. Vou vê-la mais tarde. O que quer que eu diga a ela?

Pegasus fez vários sons fracos.

– Não vou dizer a ela que está morto! – Paelen exclamou horrorizado. – Não falarei isso porque não está morto. Você não pode morrer! Você é o Pegasus e tem que viver!

Pegasus resmungou novamente e tentou levantar a cabeça, olhando Paelen nos olhos.

– Sim, eu vi Diana. Ela também está aqui e não está ferida, mas também está muito preocupada com você.

Deitando a cabeça, Pegasus soltou mais um som suave.

– Sim, é claro que fugiremos daqui – Paelen garantiu. – Vamos todos juntos. Você não vai ficar aqui, Pegasus; eu não permitirei. Sei que está ferido e com dores terríveis, mas vai se recuperar. Precisa apenas de descanso e boa comida.

Paelen olhou em volta e viu que Emily tinha razão. As pessoas aqui pensavam que Pegasus era um cavalo e a comida que trouxeram não era o que ele precisava. Com os vários ferimentos que tinha e sem ambrosia, Pegasus estava morrendo.

– Ouça, Pegasus. Eu causei isso e agora vou me redimir. Emily precisa de você; todos nós precisamos. Você não vai morrer. Vou buscar comidas que o ajudarão a se recuperar. Funcionou comigo e vai funcionar com você, mas precisa lutar para viver.

Paelen ficou em pé e olhou para o garanhão caído.

– Não desista, Pegasus. O Olimpo precisa de você. – Quando começou a caminhar, se virou mais uma vez. – Emily se preocupa muito com você. Pense nela.

Pegasus levantou a cabeça e lançou um olhar suplicante para Paelen.

– Você precisa se cuidar. Se morrer, terá falhado com ela e a deixará a mercê dessas pessoas cruéis. O agente J já a machucou uma vez e a machucará de novo, por isso aguente firme, ela precisa de você. Voltarei logo.

Em seguida ele entrou pelo duto de ventilação e pegou as sandálias.

– Espero sinceramente que saibam aonde ir – ele falou segurando as sandálias, e então ordenou:

– Me levem até a cozinha onde eles preparam a nossa comida.

Paelen não tinha ideia de como as sandálias funcionavam, mas aquilo dava certo. Não muito depois eles entraram em outro duto e a boca de Paelen começou a salivar com o cheiro doce do açúcar.

– Obrigado, sandálias – disse enquanto se aproximava da grade. Seus aguçados sentidos de ladrão ouviam e sentiam, em busca de qualquer sinal de vida, mas não havia nenhum. Ele se arrastou por uma grande entrada de ventilação e desceu em uma cozinha espaçosa. Tudo parecia ser feito de metal e todas as superfícies brilhavam.

Aquele lugar era enorme e ele demoraria séculos para encontrar o que precisava, mas com sua própria fome fazendo o estômago roncar e seu nariz comandando as ações, levou pouco tempo para que Paelen achasse os tesouros doces na cozinha. No armário atrás de açúcares, encontrou melado, geleias e um grande estoque de chocolate para cozinhar. Quase chorou de alegria quando achou um congelador cheio de sorvete. Ele teria que fazer várias viagens para levar tudo para o garanhão, mas com toda a noite pela frente, havia muito tempo para isso.

Paelen descobriu um longo avental de cozinheiro e o encheu com várias coisas, incluindo os dois primeiros potes de sorvete, amarrando-o depois como se fosse um embrulho. Ele subiu na pia e colocou tudo no duto de ar o mais rápido que pôde, olhando para trás para ter certeza de que tinha deixado tudo como havia encontrado. Satisfeito porque ninguém notaria que estivera ali, Paelen subiu para o duto atrás da comida.

– Me levem até Pegasus – ordenou às sandálias e acrescentou –, mas não tão rápido, pois estou carregando coisas importantes.

As sandálias obedeceram. Pouco depois Paelen estava de volta ao quarto de Pegasus, abrindo o avental e pegando a comida. Ele tirou a tampa do primeiro pote de sorvete e o entregou ao garanhão.

– Tome Pegasus, coma.

Apesar de fraco e exausto, Pegasus começou a lamber o sorvete, que começava a derreter do pote. Não muito tempo depois, Paelen já abria o outro pote, que também foi devorado rapidamente. Quando todo o sorvete acabou, Paelen misturou um saco de açúcar, melaço e um pouco de água em um dos potes e deu para o garanhão, que outra vez bebeu vorazmente.

Enquanto segurava o pote, Paelen deu uma mordida em uma barra de chocolate. Era diferente da que tinha pegado na máquina, mas tão boa quanto. Antes que pudesse acabar com ela, Pegasus se esticou para comer também.

– É claro – disse oferecendo seu doce para o garanhão. – Você precisa mais do que eu.

Durante metade daquela noite, Paelen trouxe o máximo de comida que conseguiu para Pegasus, que estava faminto; em determinado momento ele ficou preocupado que o que trouxera não seria suficiente. Mas, finalmente, quando havia sobrado menos de um quarto dos suprimentos, Pegasus soltou um suspiro e se deitou na palha.

Paelen se sentou ao lado do garanhão e pediu desculpas mais uma vez por ser a causa de todos os problemas dele. Logo antes de Pegasus cair em um sono restaurador, ele fixou o olhar em Paelen e avisou que eles conversariam sobre aquilo quando estivesse recuperado.

Depois que o garanhão finalmente dormiu, Paelen se levantou. Ele olhou para Pegasus dormindo e sentiu um enorme arrependimento por ter pensado em tentar ser o dono dele, percebendo que era tão culpado quanto os humanos daquele lugar. Ele via Pegasus apenas como um cavalo alado e uma maneira rápida de ficar rico. Nunca o enxergara como o magnífico Olímpico que realmente era.

– Durma bem, Pegasus – ele falou enquanto ia embora em silêncio. – Durma e fique bom.

Capítulo 26

De volta aos dutos, Paelen escondeu em um deles o que sobrara das comidas doces. Pegasus precisaria de mais nos dias seguintes, a menos que as pessoas dali começassem a entender que tipo de dieta ele precisava seguir. Diana precisaria daquilo também. Como ainda era noite e Paelen sabia que tinha tempo, pegou novamente as sandálias.

– Me levem ao pai de Emily.

Quando elas o arrastaram, Paelen logo descobriu que aquela seria a sua pior jornada. Ela começou igual às outras, mas logo as sandálias o levaram ao longo túnel vertical que conectava todos os andares da grande instalação. Como estavam no chão, Paelen olhou para cima e pôde ver incontáveis andares.

As sandálias entraram no túnel principal e começaram a subir. Mais alto e mais alto. Paelen reconheceu o duto que levava ao seu quarto e ao de Emily. As sandálias passaram rápido por ele e continuaram a subir. Elas se moviam cada vez mais velozes enquanto continuavam a voar cada vez mais para o alto. Paelen percebeu os curiosos sons de máquinas pesadas e então ouviu o inconfundível som de algo girando. O que quer que fosse, as sandálias o estavam levando direto para aquilo.

Ele percebeu que, quanto mais perto se aproximava do som, mais rápido as sandálias voavam. Naquele duto de ventilação, longo e escuro, Paelen não conseguia ver claramente para onde estava indo, mas quando olhou para cima, seus olhos enxergaram o brilho de estrelas lá no alto. O único problema é que aquele brilho parecia piscar quando algo o bloqueava e depois saía da frente dele. Se concentrando naquilo, os olhos de Paelen foram se ajustando à escuridão e ele ficou sem ar, aterrorizado. As sandálias o estavam levando em direção a um enorme ventilador em movimento.

Aquele era o coração do sistema de ventilação. O ventilador puxava o ar fresco de fora e o forçava para baixo, em direção a todos os andares da instalação, e aquilo estava prestes a fazer Paelen em pedaços.

As enormes lâminas afiadas estavam se aproximando. Paelen tentou ordenar que as sandálias parassem, mas não teve tempo. Elas continuavam acelerando. Ele só teve tempo de olhar para cima e esperar pela morte.

Mais perto.

Mais perto.

Ele fechou os olhos e se preparou para o pior. Um instante depois, sentiu o ar jorrando à sua volta e então uma mudança brusca. Quando abriu os olhos, ficou assustado ao descobrir que estava fora da instalação e voando bem alto no ar da noite.

– Parem, sandálias! – ele ordenou.

Suspenso no ar acima da Ilha do Governador, Paelen olhou para baixo e para dentro da larga chaminé de onde saíram voando.

Era possível ver as lâminas mortais do grande ventilador girando. De algum jeito, as sandálias o carregaram por entre elas sem que fosse atingido.

Com um grande arrepio, Paelen desviou o olhar. As luzes de Manhattan brilhavam do outro lado da água. Um pouco mais à frente ele viu a mesma moça verde segurando sua tocha. Emily a tinha chamado de Dona Liberdade, mas ao olhar direito para baixo, Paelen ficou ainda mais surpreso.

– Casas! Bem bonitas e nem um pouco ameaçadoras!

Ele olhou de novo para a grande chaminé e viu que era parte de uma enorme casa de tijolos. Na frente, ela tinha belos pilares, altos e brancos, e era muito parecida com algumas casas do Olimpo. Mais à frente, na rua com árvores alinhadas e bem aparadas, Paelen viu uma linda casinha amarela no meio de um grupo de outras belas casas.

Examinando a área, Paelen não conseguia entender o que via. Como aquelas belas casinhas podiam esconder um segredo tão sombrio e perigoso? Não tinha como alguém que olhasse para aquela sublime ilha suspeitar que ela continha algo terrível como a UCP.

Agora do lado de fora, ele pensou onde o pai de Emily estaria. Perto de onde flutuava, Paelen viu um prédio baixo de tijolinhos, com barras de ferro nas janelas. Parecia uma prisão, e ele imaginou que seria um bom lugar para prenderem o pai de Emily.

– Me leve ao pai de Emily – Paelen falou, esperando que as sandálias o levassem em direção ao prédio de tijolinhos, mas, em vez disso, elas o levaram mais para cima e para o céu estrelado, depois o carregaram por cima da água e para longe da ilha.

Quando, por fim, sobrevoaram terra firme novamente, Paelen mandou as sandálias pararem.

– Onde quer que o pai de Emily estivesse preso, não era na Ilha do Governador.

– É melhor me levarem até Joel.

Elas voaram de volta para a Ilha do Governador e ele pôde ver barcos na água e algumas poucas luzes acesas nas casas da ilha, mas não viu ninguém se movendo.

– Esperem – ele falou. – Me levem para o chão.

As sandálias baixaram Paelen suavemente na grama. Enquanto se abaixava, tentou ouvir o som de soldados ou de alguém se movendo por ali, mas tudo o que escutou foram os insetos da ilha e o barulho que vinha da enorme cidade do outro lado da água. Ele estava sozinho.

Paelen examinou a área e de repente percebeu que, se quisesse, poderia simplesmente calçar as sandálias e dizer para que o levassem a qualquer lugar que desejasse. Ele poderia ficar naquele mundo ou voltar para o que tinha sobrado do Olimpo. Pela primeira vez em sua longa vida, Paelen estava completa e verdadeiramente livre.

Mas, enquanto pensava em partir, se lembrou da terrível visão de Pegasus deitado, quebrado, ferido e derrotado, e, depois, da orgulhosa Diana, acorrentada a uma cama, faminta e sem poder se mexer. Finalmente seus pensamentos chegaram à garota, Emily, e o som de seu choro agonizante quando o agente J apertou sua perna machucada.

Se ele partisse agora, estaria livre fisicamente, mas nunca conseguiria escapar daquelas imagens dignas de um pesadelo. Mesmo pensando que talvez acabaria sendo um ladrão para o resto da vida, Paelen sabia que não conseguiria viver com sua consciência se abandonasse os outros à própria sorte na UCP. Ficando em pé de novo, Paelen levantou as sandálias.

– Me levem alto o suficiente sobre a ilha, para que eu possa procurar os Nirads.

Obedecendo ao seu comando, as sandálias o levantaram no ar. Paelen usou seus sentidos para procurar por sinais de Nirads atacando a pequena ilha. Depois de uma boa busca, ficou feliz em não encontrar nenhum. Talvez não tivessem achado um jeito de chegar até lá. Enquanto olhava para o pequeno trecho de água que os separava de Manhattan, pensou se era o suficiente para manter os Nirads longe.

– Já está bom – ele disse finalmente. – Me levem até Joel.

Capítulo 27

Paelen chegou ao duto de ventilação que dava no quarto de Joel ainda tremendo por conta da viagem angustiante que fizera para voltar à instalação. Sair pelo grande ventilador fora aterrorizante. Voltar foi ainda pior.

Joel estava preso no mesmo andar que Diana. Paelen se arrastou para a frente e olhou através da grade. O garoto estava dormindo.

– Joel – ele chamou.

O garoto se virou na cama e resmungou.

– Acorde, Joel.

Mais resmungos vieram da cama.

Paelen sabia muito bem quão brutal era o agente J. Se tinha sido capaz de machucar Emily, que estava ferida, temia o que poderia ter feito com o garoto. Ele forçou a grade e entrou no quarto, ficando ao lado da cama e tocando no ombro do menino adormecido.

– Acorde, Joel.

Joel abriu os olhos e lançou a Paelen um olhar grogue.

– Me deixe em paz – ele resmungou.

– Por favor, Joel – Paelen sussurrou. – Emily me pediu para achar você.

– E-Emily? – Joel repetiu.

– Sim. Ela está ferida, mas se recuperando. Também vi Diana e Pegasus. Você precisa acordar, por favor.

O rosto de Joel estava machucado e inchado, com os olhos vermelhos e pesados. Quando empurrou as cobertas e se esforçou para ficar em pé, Paelen viu mais machucados pretos em seu pescoço, peito e braços. Também havia marcas onde os homens tinham injetado suas drogas.

– Quem é você? – Joel perguntou, tentando acordar de uma vez.

– Meu nome é Paelen.

– Paelen! – disse Joel pulando para a frente e segurando seu pescoço. – Você causou tudo isso! – a raiva o fez acordar de vez. Começando a correr, ele empurrou Paelen contra a parede.

– Nada disso teria acontecido se você não tivesse pegado as rédeas! Pegasus não teria sido atingido pelo raio! Emily não teria sido ferida pelos Nirads! Devia te matar pelo que fez!

Paelen sentia os dedos de Joel em volta de seu pescoço, mas neles não havia pressão de verdade. O garoto estava furioso, mas não era um assassino. Paelen também achava que Joel tinha todo o direito de estar bravo, pois, de fato, ele causara tudo aquilo. Por isso não lutou com ele, mesmo sabendo que era muito mais forte. Em vez disso apenas o deixou gritar e esbravejar para que botasse tudo para fora. Pouco depois, a energia de Joel acabou e ele soltou Paelen.

– Por quê? – ele perguntou furioso. – Por que fez aquilo?

Paelen notou que Joel estava trêmulo. O agente J o tinha machucado bastante. Mais do que aqueles ferimentos visíveis em seu corpo, aquilo era notório pelo modo como ele se mantinha em pé, se segurando. A raiva tinha lhe dado energia, mas os estragos do interrogatório estavam mostrando a cara novamente.

– Volte para a cama, Joel, por favor. Você não está bem. – disse segurando-o gentilmente pelos braços.

– Estou bem o suficiente para acabar com a sua raça! – Joel desafiou, por ser um palmo mais alto do que o Olímpico.

Paelen sorriu. Apesar daquela situação difícil, ele gostou muito do espírito do jovem humano.

– É claro que está, mas devia guardar energia para a luta que está por vir. Agora, Emily precisa de você.

A menção do nome Emily acalmou Joel, que deixou Paelen o levar de volta para a cama.

– Onde ela está? Emily está bem? O que fizeram com ela?

– Ela está com medo – Paelen explicou – e com razão. O agente J a machucou, apesar de eu suspeitar de que ele te machucou muito mais.

– Estou bem – Joel falou defensivamente.

– Eles injetaram em você uma droga que queima como fogo em suas veias?

Joel assentiu e uma sombra surgiu em seu rosto.

– O que fizeram com Emily?

– O agente J fez um monte de perguntas e, quando Emily se recusou a responder, apertou sua perna ferida. A dor foi tão grande que ela desmaiou.

– Vou matar ele! – Joel disparou. – Não ligo se vão me prender pelo resto da vida, vou matá-lo por ter machucado a Emily!

Paelen deu uma risadinha.

– Acredito que terá de lutar com Pegasus e Diana por esse privilégio. Pode ficar orgulhoso de sua amiga, ela não disse nada a eles.

– Eu tentei não falar nada – Joel falou em um sussurro baixo – e acho que não contei da guerra no Olimpo, mas não tenho certeza. Estou acostumado a brigar, então quando me bateram, apenas ri na cara deles, mas depois vieram as drogas...

Joel começou a tremer. A expressão de terror voltou aos seus olhos. O que quer que tenham feito com ele, seria lembrando por muito tempo.

– Tudo vai ficar bem – Paelen falou calmamente. – Vamos sair daqui.

– Como? Eu nem sei onde estamos.

– A Emily sabe. Ela disse que estamos na Ilha do Governador. Sei que esta instalação é subterrânea e bem profunda, mas consigo andar por onde quiser. Há olhos de serpente vigiando tudo nos corredores, mas não nos túneis que uso ou nos quartos.

– Olhos de serpente? – Joel perguntou.

Paelen assentiu.

– O agente J diz que pode ver tudo o que acontece por aqui. Foi assim que descobriram que eu tinha escapado do meu quarto. Estava no corredor e eles me viram.

– Ah, você quer dizer câmeras! – Joel finalmente entendeu e olhou em volta de seu quarto. – Você tem razão, não há nenhuma por aqui. Acho que não colocam câmeras nos quartos porque não querem que ninguém grave as torturas que fazem com os prisioneiros.

– Talvez – Paelen concordou, imaginando os horrores que elas teriam testemunhado sendo feitos com ele. – Mas isso me deixa livre para visitar todos vocês, desde que eu use os dutos. Quando Pegasus estiver bem o suficiente para viajar, nós fugiremos.

– Qual o problema com Pegasus? É a asa de novo?

Paelen abaixou os olhos, envergonhado, e explicou que o garanhão tinha sido alvejado.

– Levei toda a comida de que ele precisava, mas não sei se era tarde demais. Ele está muito mal. Tenho medo de que Pegasus possa estar morrendo.

Joel esticou as mãos e segurou os braços de Paelen.

– Ele não pode morrer! Se isso acontecer, estamos mortos também! Pegasus é o único que pode encontrar a Filha de Vesta!

Paelen fez uma careta.

– O que a Vesta tem a ver com Pegasus?

– Emily não contou a você o que Pegasus veio fazer aqui?

Quando Paelen negou com a cabeça, Joel contou tudo o que sabia sobre a Filha de Vesta e o Fogo do Olimpo. Paelen começou a andar de um lado para o outro.

– Então é por isso que não fomos destruídos quando os Nirads apagaram o Fogo do Templo. Temos que sair deste lugar para que Pegasus complete sua missão e leve o Fogo de volta ao Olimpo!

– Não brinca! – Joel falou com sarcasmo. – O que acha que estivemos tentando fazer todo esse tempo? Mas agora que estamos aqui...

– Podemos escapar – Paelen insistiu. – Só precisamos garantir que Pegasus viva.

– Você é um Olímpico, certo? – Joel perguntou depois de um momento.

– Sou sim.

– Você é tão forte quanto Diana? Pode me tirar deste quarto para que possamos ir até Emily?

– Sou bem forte – Paelen concordou – e posso arrombar a porta sim, mas ainda não é o momento de agir. Pegasus precisa de tempo para se recuperar, e você também.

– Eu estou bem – Joel falou, acariciando o queixo ferido pensativamente. – Certo, faça o seguinte. Continue dando açúcar para o Pegasus, o máximo que puder. No instante em que ele ficar bem, volte aqui e me liberte. Então soltaremos Emily, depois Diana e Steve. Acho que teremos gente o suficiente para enfrentá-los e fugir daqui. Então iremos encontrar a Filha de Vesta e Pegasus a levará de volta ao Olimpo.

Paelen voltou ao duto de ventilação. Ele achou melhor não contar ao rapaz que o pai de Emily não estava lá, então apenas assentiu.

– Muito bom. Verei Emily mais tarde e direi a ela como você está. Se voltarem aqui para te interrogarem, faça o que puder para evitar responder as perguntas deles. Não vai demorar muito agora, Joel. Logo você estará livre.

Capítulo 28

Emily estava se sentindo melhor. Os antibióticos que tomava estavam vencendo a infecção causada pelo ferimento do Nirad, e o remédio para dor fazia com que ela quase não sentisse mais a perna doer e latejar. Deitada na cama, observou a enfermeira, que obstruía a visão do machucado, trocar o curativo de seu ferimento.

– Está muito feio? – Emily perguntou.

– Está feio – a enfermeira respondeu. – Infelizmente houve muitos danos. Os cirurgiões fizeram o possível, mas a infecção estava muito avançada.

Emily estava com medo de fazer aquela pergunta, mas não tinha opção.

– Eu vou conseguir andar de novo?

A enfermeira parou o que estava fazendo e se virou para ela.

– Eu realmente não sei. Provavelmente vai precisar de ajuda, talvez uma bengala ou até mesmo uma muleta, mas não pense nisso agora. Seu trabalho é se concentrar em ficar boa.

– E o que vai acontecer depois?

A enfermeira encarou Emily por mais um momento e então voltou à sua tarefa de trocar o curativo da perna. O silêncio dela disse mais a Emily do que ela gostaria de saber. A resposta era simples: não havia futuro. Quando a UCP tivesse terminado, ela simplesmente desapareceria.

– Você viu o Pegasus? – Emily acabou perguntando.

– O seu cavalo alado?

Emily estava cansada de corrigir as pessoas. Se queriam chamar o Pegasus de cavalo, tudo bem. Ela sabia a verdade e isso era o suficiente.

– Não tenho permissão para vê-lo. Veterinários estão cuidando dele, mas, pelo que ouvi, a coisa não vai bem. Parece que recebeu muitos tiros e eles duvidam de que vá sobreviver.

– O Pegs vai morrer? – Emily exclamou, tentando sair da cama. – Tenho que vê-lo!

– Pare, Emily – a enfermeira alertou, lutando para mantê-la na cama. – Você não tem forças para isso e pode acabar prejudicando ainda mais a sua perna.

Emily começou a entrar em pânico.

– Você não entende, eu tenho que ver o Pegasus! Ele me salvou dos Nirads, não posso perdê-lo, não agora!

Enquanto lutava com a enfermeira, Emily não ouviu os bips da porta e nem os dois homens que entraram no quarto. Tudo o que via era que precisava chegar até Pegasus. De repente, mais braços a seguraram e impediram que saísse da cama.

– Me solte! – Emily gritou. – Tenho que ir até o Pegasus!

– Pare, Emily! – O agente J ordenou.

– Me deixe em paz! – ela gritou em resposta. – Preciso ir até ele!

– Está bem! – o agente gritou enquanto ele e o outro homem a seguravam firme, deitada na cama. – Está bem. Se quer tanto vê-lo, permitiremos, mas pare de se debater.

Emily ofegava. Olhou para os agentes com os olhos cheios de lágrimas.

– Me levem até ele, por favor.

– Nós a levaremos, mas com uma condição – o agente falou. – Depois de vê-lo, você responderá nossas perguntas, sem resistir nem mentir. Se quer ver o Pegasus, prometa que vai dizer tudo o que queremos saber.

Ao encarar aqueles olhos frios, Emily se lembrou da conversa que tivera com Paelen e como ele tinha dito para ela não se negar a responder nada, mas dizer o máximo de mentiras que pudesse. Então assentiu com a cabeça.

– Se me levar até ele agora, prometo responder todas as suas perguntas, mas só depois de ver o Pegasus.

O agente J se virou para o outro homem.

– Consiga uma cadeira de rodas, agente O. Se Emily quer ver Pegasus, ela o verá.

Pouco tempo depois, Emily estava em uma cadeira de rodas e sendo levada a Pegasus através dos corredores da instalação. Ela quase se esqueceu da dor na perna enquanto seus temores em relação ao garanhão dominavam todos os seus sentidos. Ao chegar ao elevador, percebeu que o agente J apertara o último botão. Pegasus era mantido no andar mais subterrâneo da instalação.

Quando chegaram, desceram por um longo corredor até um quarto que ficava no final dele. O agente J foi até a trava de som e se preparou para digitar o código, mas antes se virou e olhou para ela.

– Tenho a sua palavra de que vai responder minhas perguntas depois de vê-lo?

Emily não disse nada e apenas assentiu com a cabeça.

Ao digitar o código, o agente não teve cuidado em esconder o que fazia, e Emily pode ver os números da senha que ele digitava. Quando a luz verde piscou e a porta soltou um clique, a sequência já estava bem guardada em sua memória.

O agente J abriu a porta e o agente O empurrou a cadeira de rodas para a frente. Ao observar o local, o coração de Emily quase parou de agonia. Pegasus estava deitado no feno, no meio do quarto, coberto de bandagens e mal respirando.

– Pegs! – Emily se levantou da cadeira, mas sua perna machucada não sustentou seu peso e ela caiu no chão.

O agente J tentou colocá-la de volta na cadeira.

– Pare, Emily. Não há nada que você possa fazer por ele agora.

Lágrimas surgiram em seus olhos da mesma forma que o ódio surgiu em seu coração.

– Não encoste em mim! – gritou ferozmente enquanto empurrava a mão dele para longe. Depois ignorou a terrível dor em sua perna e se arrastou até Pegasus.

– Pegs – sussurrou enquanto esticava sua mão trêmula até a cabeça, agora preta, do garanhão. – Sou eu, Pegs. Não morra, por favor. Preciso de você.

Ela não segurou as lágrimas, que caíram incontroláveis enquanto a garota beijava o focinho do animal.

– Por favor, Pegs, você não pode morrer! Simplesmente não pode!

Quando deitou a cabeça em seu robusto pescoço e chorou pelo belo garanhão, Emily ouviu uma mudança sutil na respiração dele. Não sabia se os outros também podiam ouvir ou ver algo, mas ela podia. Pegasus respirou fundo e calmamente. Ele sabia que ela estava lá e estava respondendo a isso.

– Emily – disse o agente J ao se aproximar. – Fiz o que prometi, deixei você ver Pegasus. Agora é a sua vez. Venha aqui e vamos conversar.

Naquele instante, sem saber como, Emily soube que não deveria deixá-lo. Pegasus precisava desesperadamente dela ali. Ela podia sentir. Mais do que isso, Emily também precisava dele. Sem olhar para o agente, ela respondeu:

– Se quer respostas para suas perguntas, você as terá, mas só responderei aqui. Não deixarei o Pegasus sozinho.

– Isso não era parte do acordo – disse o agente em tom ameaçador.

– Não – disse Emily olhando friamente para ele. – Não era mesmo, mas agora é. Qual é o problema em me deixar ficar aqui enquanto respondo às suas perguntas? Você consegue o que quer e eu posso ficar ao lado dele.

– Não é bom para você ficar aqui – o agente J retrucou. – E se ele morrer enquanto estiver aqui?

– Então alguém que o ama será a última pessoa ao lado dele, e não você! – respondeu ferozmente. – Se tentar me levar de volta para o quarto, juro que nunca mais direi nenhuma palavra, não importa o que façam comigo!

Uma sombra de raiva passou pelos olhos do agente J.

– Está bem – cedeu ele. – Se quer ficar com um cavalo que está morrendo enquanto falamos, tudo bem. – Ele se inclinou sobre ela. – Espero que aprecie o tanto de regras que estou deixando de lado por você, minha jovem. Espero a mesma consideração de sua parte. Você responderá todas as minhas perguntas sem hesitar e com a verdade. Entendeu bem?

Emily continuou deitada sobre o pescoço do garanhão e acariciando o rosto dele.

– Entendi perfeitamente.

Um cobertor e duas cadeiras foram trazidos para aquele quarto. Quando levaram o cobertor até ela, Emily sentiu Pegasus ficar tenso. Ele não estava tão mal a ponto de não perceber o que acontecia à sua volta, e não gostava do homem que se aproximou dos dois.

Quando os agentes da UCP se sentaram em suas cadeiras, Emily se ajeitou confortavelmente no feno. Ela estava o mais próximo possível de Pegasus, com seu corpo apoiado na área do pescoço e cabeça dele, acariciando seu rosto e orelhas. Estar perto dele já era o suficiente para que ela se sentisse melhor.

– Muito bem, Emily – disse o agente enquanto ligava seu gravador. – Vamos começar do começo. Como foi que você encontrou Pegasus?

Ela respirou fundo. Emily sabia que jamais poderia contar a eles o verdadeiro motivo para ele e Diana estarem em Nova York, o Fogo e a guerra no Olimpo, mas queria passar o máximo de tempo que pudesse com o garanhão, então resolveu seguir os conselhos de Paelen e mentiu. Começou contando a verdade, falando da grande tempestade e de como Pegasus fora atingido por um raio e caído no terraço de seu prédio, mas, desse ponto em diante, a verdade se transformou em uma história fantástica que se equiparava aos melhores mitos gregos ou romanos.

O agente J se inclinou para a frente.

– E por que eles vieram até aqui?

– Bom – ela começou –, Diana me disse que lá no Olimpo um ladrão roubou as rédeas douradas de Pegasus e escapou usando as sandálias do mensageiro.

– Então não é o Mercúrio que temos preso aqui?

Emily fez que não com a cabeça.

– É só um ladrão. Diana me disse que ela e Pegasus têm perseguido esse homem através do cosmos, pulando de mundo em mundo e de cidade em cidade, e eles finalmente acabaram aqui em Nova York. Ela disse que eles foram atingidos pelo raio e por isso se separaram. Pegasus caiu no terraço do meu prédio e Diana caiu no Central Park.

– E o tal ladrão? – o agente J perguntou. – Você sabe o nome dele?

– Não consigo me lembrar – ela disse, coçando a cabeça. – Acho que Diana me disse um nome que começava com a letra P.

– Paelen? – o agente O perguntou. – O nome dele é Paelen?

– Isso mesmo! – Emily concordou. – É esse nome. Diana disse que Paelen também roubou um saco de moedas de ouro do pai dela, Júpiter, e que ela e Pegasus vieram até aqui para resgatar tudo antes que ele descobrisse e perdesse a paciência. Ela falou que quando Júpiter perde a cabeça, mundos inteiros são destruídos.

– Mas se já tinha as moedas, por que Paelen foi atrás das rédeas de Pegasus? – o agente J quis saber.

Emily deu de ombros.

– Acho que ele é ganancioso. Diana disse que Júpiter não liga muito para as moedas, mas ficaria furioso se descobrisse a respeito das rédeas, por isso eles esperavam conseguir recuperá-las antes de ele perceber.

– Ouro é ouro – o agente J falou tranquilamente. – Ele tinha o suficiente, mas queria mais.

– Espere um pouco – interveio o agente O. – Tem mais coisa aí. Na mitologia, quem possuir as rédeas de Pegasus poderá controlar o garanhão. – Ele se concentrou em Emily. – Paelen queria o Pegasus, não é mesmo?

Aquela era a primeira vez que Emily ouvia aquela história da mitologia, por isso deu de ombros.

– Não sei, Diana não me disse nada sobre isso. Só me falou que precisavam conseguir tudo de volta antes que seu pai descobrisse. Mas agora que as moedas e as rédeas se perderam, não dá pra saber o que ele fará.

– As rédeas não se perderam – o agente O falou. – Elas estão aqui.

– Aqui? – Emily perguntou. – É mesmo? As moedas de ouro também?

O agente O negou com a cabeça.

– Nada de moedas, mas tínhamos as sandálias.

– Como assim tinham? – ela perguntou enquanto continuava acariciando o Pegasus.

O agente J concordou com a cabeça.

– Parece que alguém as roubou.

Emily deu de ombros novamente.

– Talvez elas tenham saído voando. Diana me falou que elas têm vontade própria, então talvez tenham voado de volta para o Olimpo.

– Pode ser – disse o agente J não parecendo muito convencido. – Ou temos um ladrão entre nós. Agora me diga, onde fica o Olimpo?

Emily sacudiu a cabeça e respondeu a verdade.

– Juro que não sei. – Então olhou para os olhos fechados de Pegasus. – Diana falou que Pegasus era seu único jeito de voltar para casa. Se morrer, ela ficará presa aqui.

– Não, isso também está errado – o agente O interrompeu novamente. – Na mitologia antiga, os deuses sempre vinham para a Terra e não há nenhuma menção sobre Diana cavalgar Pegasus. Como quer que tenha vindo aqui, ela veio usando seus próprios poderes. O que mudou?

– Não sei – Emily deu de ombros. – A Diana não fala muito comigo, acho que não gosta de mim. Ela ficou furiosa comigo e com o Joel por termos tingido Pegasus com essas cores, para tentar escondê-lo de vocês. Quase nos matou quando o viu assim.

– Não é surpresa ela ter ficado brava – o agente O falou. – Olha o trabalho feio que você fez com o primo dela.

– O Pegs é primo dela? – Emily perguntou genuinamente surpresa.

– Diana é a filha de Júpiter, certo? – O agente O perguntou. Quando ela assentiu, ele foi em frente. – Bom, na mitologia, Pegasus surgiu da união de Medusa e Netuno e, como todos sabem, Júpiter e Netuno são irmãos, então isso faz com que Pegasus e Diana sejam primos.

Emily olhou para Pegasus.

– Medusa e Netuno são seus pais? Como isso é possível?

– Nos diga você – o agente J falou. – É você que está afirmando que todos eles vieram do Olimpo e que passou um tempo com eles. Imagino que tenham contado tudo isso.

– O Pegasus não fala – Emily retrucou. – Só sei o que Diana me contou, e, como já disse, não foi muito. Ela realmente me odeia pelo que fizemos com o Pegs.

– Pelo que vimos, Diana odeia todo mundo – o agente J completou amargamente. – E o que ela falou sobre os Nirads? O que eles são? E mais importante: por que estão tentando matar você e o Pegasus?

Emily já temia que ele fizesse aquela pergunta. O que poderia dizer que seria plausível? Era o Joel que conhecia a mitologia romana, não ela, mas Emily sabia que se não dissesse algo, eles a levariam para longe de Pegasus, e ela não podia deixar aquilo acontecer.

– Fui ferida por acidente – acabou dizendo. – Eles não estavam atrás de mim; pareciam estar atrás do Pegasus. Eu estava no lugar errado na hora errada e aquele Nirad acabou segurando na minha perna.

– Mas o que são eles? – o agente J pressionou. – E por que estão aqui?

– Não sei – Emily respondeu honestamente. – Nem a própria Diana sabe. Tudo o que me falou é que estão atrás do Pegasus por alguma razão, provavelmente porque ele pode matá-los quando ninguém mais consegue. Ela disse que a última vez que o Olimpo teve inimigos foi há muito tempo, numa grande guerra contra outra raça, mas não lembro qual. Talvez eles tenham mandado os Nirads aqui para pegarem o Pegasus.

– Os Olímpicos estiveram em guerra contra os Titãs – o agente O ofereceu.

– Isso, foi esse o nome que Diana falou. – Emily concordou rapidamente e olhou para o agente J. – Não sei por que está me fazendo todas essas perguntas quando ele parece ter todas as respostas – falou apontando para o agente O.

– Eu estudei a mitologia – o agente O respondeu. – Isso é muito diferente de saber as respostas para as perguntas que temos. Se o Pegasus e os outros vieram mesmo do Olimpo, então as velhas histórias podem ser verdadeiras, mas, se for esse o caso, onde estiveram esse tempo todo?

– Finalmente uma pergunta que posso responder! – se preparando para oferecer mais uma mentira plausível. – Perguntei exatamente a mesma coisa para Diana. Ela respondeu que não precisávamos mais dos Olímpicos, então eles ficaram no Olimpo e pararam de vir ao nosso mundo. O pai dela diz que é perigoso demais com todas as nossas novas armas e tecnologias. Ele, inclusive, proibiu qualquer um dos Olímpicos de vir para cá, o que é uma das razões para Diana e Pegasus perseguirem o ladrão até aqui. Não queriam que ele fosse pego e que o segredo da existência do Olimpo fosse revelada.

– Então parece que não fizeram um bom trabalho, não é mesmo? – O agente J disse sarcasticamente. – Mas isso ainda não responde a questão dos Nirads. Se Diana precisa do garanhão para voar, qual o meio de transporte que eles usam?

Emily fez uma pausa. Aquela era uma boa pergunta. Como os Nirads chegaram a Nova York?

– Não sei, de verdade – ela respondeu. – Diana não me falou. Só disse que ela usou o Pegasus e que o ladrão usou as sandálias do mensageiro para chegar aqui, mas não mencionou como os Nirads vieram para Nova York. Meu pai me disse que, no começo, várias pessoas afirmaram terem visto demônios de quatro braços saindo dos esgotos, mas isso não explica como chegaram aqui ou se há mais deles a caminho. Sinto muito, mas realmente não sei.

O agente O olhou para seu parceiro.

– Acho que está dizendo a verdade. Ela não sabe mesmo. Temos que conseguir essas respostas de Diana.

– Mas aquela mulher é impossível! – disse, furioso, o agente J. – Será mais fácil tirar sangue de uma pedra! Nada funciona nela, e com Paelen é a mesma coisa. Drogas, torturas, ameaças; nada solta a língua deles. A Emily aqui é nossa única chance de conseguir a verdade.

Ele se concentrou novamente na garota.

– Certo, vamos tentar do começo de novo. Conte mais uma vez o que aconteceu na noite do blecaute.

Emily finalmente se deitou em sua cama, exausta e esgotada depois de dar tantas informações. Ela não tinha ideia de quanto tempo passara sendo interrogada pelos agentes, mas provavelmente tinha sido quase o dia todo. Eles repetiam as mesmas perguntas várias vezes para ver se ela cometia um erro e contava algo a mais.

Com Pegasus ao seu lado e o aviso de Paelen ressoando em seus ouvidos, Emily tinha tomando muito cuidado para não se desviar de sua história, e ficou agradecida quando eles finalmente pararam, pois estava começando a ficar muito cansada e tinha que se esforçar mais para manter as mentiras em sua cabeça.

Quando o interrogatório terminou, Emily implorou para poder ficar com Pegasus, mas o agente J negou o pedido, e ela viu quão prazeroso foi para ele dizer não. Enquanto tentavam arrastá-la, Emily sentiu Pegasus se mexer. Deitada o dia todo em seu pescoço, ela sentiu o pulso do animal se fortalecer embaixo dela. Ele estava voltando a ser ele mesmo rapidamente. Por esse motivo, ela ficou com medo de que Pegasus tentasse atacar os homens. Se fizesse algo, Emily tinha certeza de que o agente J mandaria matá-lo e que depois o dissecariam para ver como as asas funcionavam.

Para alertar o garanhão, Emily se jogou por cima do pescoço dele e começou a se debater histericamente, dizendo que não queria ir. Quando dois ajudantes vieram pegá-la, ela conseguiu sussurrar no ouvido dele.

– Não se mova, Pegs, por favor. Eu voltarei.

Continuando com seu chilique, Emily sentiu que ele se acalmava e que não iria se mover, e finalmente foi arrastada, colocada na cadeira de rodas e levada de volta para seu quarto.

Capítulo 29

Paelen passou a maior parte do dia, quando possível, no duto de ventilação do lado de fora da sala onde Pegasus estava preso e ficou maravilhado com as histórias que Emily contou aos agentes. Aquelas mentiras se igualavam a qualquer coisa que ele pudesse ter inventado. Ela poderia ser uma grande ladra, mesmo sendo humana.

Quando todos partiram, Paelen entrou silenciosamente na sala e levou mais comida para o garanhão, ficando impressionado com quão melhor ele estava, e sabia que aquilo tinha a ver com Emily. Pegasus tentou esconder, mas Paelen viu claramente a conexão entre o garanhão e a garota.

Depois de se assegurar de que Pegasus tinha comido tudo o que queria, Paelen voltou ao quarto de Emily, chegando momentos antes de todos e esperando em silêncio no duto de ventilação. Logo ouviu o código sonoro da porta. Era o mesmo do seu quarto. Agachado mais para trás no duto, ele viu a porta se abrir.

– Foi um longo dia – o agente J falou. – Quero que descanse. Amanhã podemos continuar de onde paramos.

Quando a enfermeira e o ajudante a colocaram na cama, Emily olhou para o agente J.

– Não entendi. Respondi tudo o que me perguntou. Não sei mais nada.

– Ah, isso não é exatamente verdade, é Emily? – ele perguntou desconfiado. – Tenho certeza de que há alguns pedacinhos e detalhes que está escondendo.

– Não tem não – ela insistiu. – Você disse que eu poderia ver o Pegasus se falasse a verdade e foi o que fiz. Não há mais nada para contar.

– Você passou vários dias com o garanhão, Emily – o agente O apontou –, e tempo mais do que suficiente com Diana para saber o que está acontecendo e por que estão aqui de verdade.

Quando Emily começou a protestar novamente, Paelen viu o agente J levantar um dedo como um aviso.

– Não se esforce. Sei que ainda está escondendo coisas de nós. Descanse esta noite, amanhã iremos discutir tudo de novo.

Sem falar mais nada, eles saíram do quarto. Enquanto o assistente arrumava a bandeja com o jantar e a colocava perto da cama, a enfermeira ajudava Emily a colocar a perna no suporte.

– Se eu fosse você, diria a eles o que querem saber. – A enfermeira alertou. – Esses agentes não são boas pessoas.

– Mas eu já disse tudo que sabia! – Emily exclamou. – O que mais eles querem?

– Eles querem a verdade, e vão conseguir de um jeito ou de outro, mas o modo como conseguirão depende de você.

– Como assim?

– Você pode dar a eles o que querem. Ou então, acredite em mim, eles conhecem maneiras que você jamais imaginaria de tirar tudo de uma pessoa.

Emily jogou os braços para o alto.

– Como posso dizer a eles o que eu não sei?

– Não sei, querida, mas é melhor ter mais a dizer, ou amanhã pode ser o pior dia de sua vida.

Quando terminaram, os dois deixaram o quarto. Emily empurrou a bandeja nervosamente para longe da cama.

– Eu comeria se fosse você – Paelen falou calmamente da grade de ventilação. – Você nunca sabe quando será alimentada de novo.

Emily olhou rapidamente para cima.

– Paelen!

Os dedos do ladrão abriram a grande gentilmente. Depois de ter visto a mesma coisa no dia anterior, observá-lo esticar o corpo agora já não era tão assustador, embora o som de ossos se quebrando ainda a deixassem bem nervosa.

– Estou muito feliz por você estar aqui. Ouviu o que a enfermeira disse? Eles vão me torturar amanhã!

Paelen assentiu.

– Também ouvi o que contou a eles hoje, quando estava com o Pegasus.

– Você estava lá? – Emily disse incrédula. – Como? Não ouvi você no duto de ventilação. Eles não sentem sua falta quando sai de seu quarto?

– Você se esqueceu de que sou um ladrão? Ficar em completo silêncio é uma de minhas habilidades especiais. E eles desistiram de ir toda hora ao meu quarto quando descobriram que não podem me obrigar a falar, então me deixam em paz na maior parte do dia e a noite toda. Parece que todos os esforços estão concentrados em você, mas devo admitir que o Joel não teve vida fácil também.

– Você encontrou o Joel? – Emily perguntou ansiosamente. – Como ele está? E o meu pai?

– O Joel está relativamente bem – Paelen falou –, mas infelizmente tenho que dizer que usaram de violência para tentar fazê-lo falar. Até agora, igual a você, ele resistiu bravamente e falou bem pouco, mas não sei por quanto tempo aguentará a tortura. Ele está com raiva, mas muito determinado. Ele me atacou assim que ouviu meu nome pela primeira vez.

– Desculpe, isso aconteceu por culpa minha – Emily disse timidamente. – Eu contei a ele o que você fez com Pegasus e as rédeas douradas. Mas Joel é um cara legal depois que você o conhece direito. Pode ter cara de poucos amigos, mas é muito gentil por dentro.

– Ele já se acalmou um pouco. – Paelen puxou a mesinha com bandeja para perto da cama. – Agora coma, por favor. Precisará estar forte para o que vai enfrentar. – Ele viu o medo surgir nos olhos dela. – O que quer que aconteça, Emily, eu estarei com você. Não desista, por favor.

– Não desistirei – ela disse, pegando a comida. Então segurou a taça de pudim de chocolate e deu para ele. – Tome, você precisa disso mais do que eu.

Paelen aceitou contente a sobremesa. Ele tinha voltado várias vezes à cozinha, mas roubara a maior parte das comidas açucaradas para Pegasus e Diana poderem se recuperar, e tinha comido bem pouco.

– Acha que o Pegasus está indo bem? – ela perguntou enquanto comia sem o menor interesse.

– Se recuperando. Ele está comendo bem e sua força está voltando.

– Ele parecia morto quando eu o vi hoje de manhã – Emily falou com a voz trêmula. – Isso me deixou muito assustada. Mas então sua respiração se acertou e ele se mexeu um pouco.

– O Pegasus gosta muito de você. Não tenho dúvida de que vê-la hoje fez mais bem a ele do que todo o sorvete que tenho levado.

Emily sorriu e seu rosto todo se iluminou.

– Ele adora mesmo tomar sorvete – Emily falou e então sua expressão ficou séria. – Temos que tirar ele daqui. E você e Diana também. Vocês não pertencem a este mundo; se não formos logo, tenho medo de que matem Pegasus apenas para ver como ele funciona por dentro.

– Tenho medo disso também – Paelen admitiu. – Já estou no limite da minha sorte. Eles estão furiosos comigo por não cooperar e, se não tomar cuidado, tenho certeza de que tentarão me matar também.

– Certo, então quando vamos embora? – ela perguntou.

Paelen a estudou, fascinado. Ele podia ver as ideias girando na cabeça dela.

– Logo – ele respondeu.

– Você precisa pegar as rédeas e entregá-las a Diana, para que ela possa fazer as armas para reconquistarmos o Olimpo – Emily falou. – É a única coisa que pode matar os Nirads. Depois, precisamos tirar Joel e meu pai de seus quartos.

Paelen respirou fundo e segurou o ar. Depois o soltou devagar.

– Emily, preciso lhe contar uma coisa. Seu pai não está aqui.

A testa da garota se franziu de preocupação.

– Como assim ele não está aqui? Ele tem que estar aqui!

Paelen negou com a cabeça.

– As sandálias de Mercúrio me levam a qualquer lugar que peço. Na noite passada, dei a ordem para que me levassem até o seu pai. Elas me carregaram para fora deste lugar e para o céu. Depois cruzamos as águas e fomos nos afastando desta pequena ilha.

– E onde ele está? Onde as sandálias levaram você?

– Não sei – Paelen admitiu. – Pedi para elas pararem e me trazerem de volta, para que pudesse ajudar todos vocês.

– Espere um minuto – Emily disse confusa. – Você saiu daqui? Estava lá fora, livre?

Paelen assentiu com a cabeça.

– E por que não foi embora? Diana falou que você era um ladrão que só pensava em si mesmo. Não entendo por que não fugiu.

– Eu poderia ter fugido, e devo admitir que, por um momento, pensei nisso, mas então pensei em Pegasus e Diana. O que aconteceria com eles? E depois pensei em você e percebi que não poderia deixá-la à mercê dessas pessoas.

– Você voltou por nossa causa?

– Sim – Paelen admitiu. – Sou o único que pode visitar todos aqui. Só eu posso ajudar a libertar todos nós deste maldito lugar.

Paelen viu a dúvida no rosto dela. Será que Emily tinha uma ideia tão ruim dele que não imaginava que pudesse mudar de verdade?

– Me desculpe por não ter conseguido achar o seu pai.

Lágrimas escorreram pelo rosto da garota.

– Acha que ele está morto?

– Acho que não, pois as sandálias estavam me levando até ele – Paelen argumentou. – Duvido que teriam feito isso se ele estivesse morto. Por razões que desconheço, eles prenderam seu pai em outro lugar.

– Mas onde? – Emily perguntou. – E por quê? O que estão fazendo com ele?

– Me desculpe, eu não sei – Paelen disse suavemente. – Mas o resto de nós ainda pode escapar daqui, e então talvez possamos encontrar seu pai e o libertar.

Emily fungou, limpou as lágrimas e assoou o nariz.

– Ainda temos que achar as rédeas.

– Então devo começar a procurar agora mesmo – Paelen prometeu. – Trarei as rédeas para cá e então planejaremos nossa fuga.

Capítulo 30

Quando Paelen foi embora, Emily se deitou e tentou não deixar que o medo em relação ao destino de seu pai a dominasse, mas era impossível. Ela ainda não via nenhum agente da UCP bom ou decente. Eles eram tão maus e cruéis quanto seu pai havia descrito. Será que ele estava sendo torturado naquele momento? O que estariam fazendo? Paelen disse que já haviam torturado Joel para tentar fazê-lo falar. O que será que fizeram com ele?

Enquanto se ajeitava, tentou se acalmar. As coisas não estavam completamente perdidas. Paelen conseguia andar livremente por aquela instalação e era ágil e inteligente, mas mais do que isso ele se importava com eles e, com sua ajuda, iriam conseguir soltar Pegasus, depois libertariam Diana e Joel e começariam a procurar por seu pai.

Emily repassou os eventos do dia. Não as perguntas e nem as expressões assustadoras dos agentes; ela pensou em Pegasus. No começo ele parecia muito vulnerável, mas conforme o dia foi passando, ela tinha certeza de que sentiu ele se fortalecer e sabia que o garanhão fingiu estar mais fraco do que realmente estava. Ele entendeu que se reagisse colocaria todos eles em perigo, então fez o que ela pediu e entrou no jogo. Mas será que Pegasus estaria forte o suficiente para se levantar e fugir com eles? E se não conseguisse, será que os quatro teriam força suficiente para levantar e carregar o garanhão?

Emily estava começando a se acalmar quando sirenes absurdamente altas começaram a soar por toda a instalação. Ela se sentou e escutou repentinos passos pesados e gritos no corredor do lado de fora de sua porta. Era como se um monte de pessoas estivesse correndo para cima e para baixo em pânico.

"Paelen!", ela pensou, e o medo surgiu em seu coração. "Ele foi pego!" Aquele pensamento atravessou o cérebro dela como uma bala. Todos os planos de fuga sumiram em um instante. Paelen era a única esperança que tinham de escapar, e agora tudo estava perdido. Quando o desespero ameaçava dominá-la por completo, Emily ouviu a voz de Paelen chamar seu nome urgentemente mais alto do que os alarmes furiosos.

– Emily! – ele gritou novamente do duto de ventilação.

Ela olhou para cima e o viu abrindo a grade. Paelen gritou de dor ao esticar seu corpo bem mais rápido do que ela estava acostumada, então passou pela pequena abertura. Emily viu o brilho das rédeas bem apertadas na mão dele.

– Eles sabem que você escapou, Paelen! Precisa sair daqui! Leve as rédeas para Diana e depois vá com ela até o Pegs. Você não pode ser pego agora.

– Não fui eu quem causou esse caos. São os Nirads! Eles estão aqui e vieram atrás de você e do Pegasus!

– Nirads! Achei que não podiam atravessar a água.

– Parece que acabaram encontrando um jeito. Tenho que tirar você daqui. – Ele se abaixou para calçar um belo par de sandálias, que tinham pequenas asas e eram cobertas por pedras preciosas.

– As sandálias de Mercúrio! – Emily disse ofegante.

– Olhe para a minha perna, Paelen. Não posso andar. Deixe--me aqui e vá libertar Diana e o Pegs. Você é a única esperança deles. Vá salvá-los, por favor.

– Eu vou – Paelen prometeu –, mas acabei de ver o Pegasus e ele está de pé e se movendo bem, e disse que me mataria se eu não levasse você até ele. Eu já o traí uma vez e não pretendo fazer isso novamente.

Paelen afastou as cobertas e depois começou a soltar a perna dela do suporte.

– Me desculpe, mas isso pode doer.

– Nem ligo pra isso – ela respondeu. – Apenas me solte logo. – Ela estremeceu enquanto sua perna era retirada das amarras. – Você viu os Nirads? Quantos são?

– Eu não os vi – Paelen admitiu –, mas posso sentir o cheiro deles e não são poucos. Os homens desta instalação estão se reunindo para lutar contra eles, mas vão falhar. Não temos muito tempo antes que nos alcancem.

Paelen deu as rédeas douradas para Emily.

– Segure isso para mim. Se um Nirad chegar perto de nós, acerte ele com as rédeas, mas não jogue neles, pois vamos precisar delas. – Ele se virou e ofereceu as costas para ela. – Suba. As sandálias podem nos carregar muito mais rápido do que eu consigo correr.

Emily segurou as rédeas com cuidado e subiu nas costas de Paelen.

– Não sou muito pesada para você?

Ele se virou e deu um sorriso torto para ela.

– Nem um pouco. Agora se segure!

Paelen carregou Emily até a porta e digitou o código para abrir a fechadura. Quando saíram para o corredor, o som dos alarmes tinha chegado a um nível assustador. Emily ficou surpresa ao ver uma massa de soldados armados correndo pelo longo corredor.

– Vocês dois, voltem para o quarto! – um dos homens ordenou enquanto passava correndo por eles.

Paelen ignorou a ordem.

– Está pronta? – ele gritou por sobre o som das sirenes.

– Vamos lá! – Emily gritou de volta.

Ela apertou as rédeas de Pegasus em sua mão e abraçou Paelen com força enquanto ele gritava uma série de palavras estranhas. De repente, flutuaram.

– Me leve até Diana o mais rápido possível! – Paelen ordenou.

Quando ele falou que as sandálias podiam se mover mais rápido do que ele corria, Emily não fazia ideia de quão rápido seria aquilo. Ela se segurou com força, temendo por sua vida, enquanto as sandálias dispararam, passando pela multidão de soldados correndo. Quando se aproximaram das escadas, Paelen mal teve tempo de esticar o braço e abrir a porta antes de as sandálias os arrastarem para dentro.

Eles desceram voando em uma velocidade assustadora e derrubando os soldados no caminho. Quando chegaram ao andar de Diana, ouviram os terríveis rugidos e grunhidos dos Nirads vindos do andar de cima.

– Eles estão nas escadas! – Emily falou no ouvido de Paelen!

Ele praguejou.

– Se segure bem firme, vou pedir para as sandálias irem mais rápido.

– Mais rápido? – ela exclamou.

No tempo que teria levado para Emily gritar de medo, as sandálias arrebentaram as portas e voaram pelo corredor até pararem em frente a uma porta trancada. Como aquela área já estava quase vazia, pois os soldados tinham corrido para as escadas, Paelen colocou Emily no chão.

– Afaste-se que eu vou arrombar a porta.

Apoiada em sua perna boa, Emily viu Paelen chegar perto da porta.

– Diana, sou eu, Paelen! – Ele gritou bem alto por causa dos alarmes. – Se solte dessas correntes, se conseguir. Os Nirads estão aqui e precisamos ir embora!

Ele se afastou da porta e olhou para as sandálias.

– Me levantem – ele exclamou – e arrebentem aquela porta!

Obedecendo a ordem, as sandálias levantaram Paelen no ar. Então, quando as asas bateram a uma velocidade mais rápida do que os olhos podiam ver, ele soltou um grito. Emily não tinha certeza se era um grito de guerra ou de puro terror por voar na direção de uma porta de segurança. Qualquer que fosse o caso, o estrondo foi bem mais alto do que todos os alarmes da instalação no momento ele foi carregado para a frente e usado como um aríete para derrubar a porta, como se ela fosse feita de palitos de sorvete.

A porta explodiu com o impacto do corpo de Paelen. Emily foi pulando em um pé só até a abertura e olhou. Paelen estava deitado inconsciente em um canto.

– Emily! – Diana exclamou arrancando as últimas correntes que a prendiam. – Estou muito feliz em vê-la! – Ela se ajoelhou e examinou Paelen para ver se havia algum ferimento sério. – Ladrãozinho tolo – falou gentilmente. – Devia haver um jeito melhor de abrir a porta sem se arrebentar todo, tonto.

– Não havia tempo – Emily falou. – Os Nirads estão nas escadas. Há soldados lutando com eles, mas não vai demorar para que cheguem até Pegasus.

– Então precisamos alcançá-lo primeiro – Diana respondeu.

Ela colocou Paelen sentado e começou a dar tapinhas de leve em seu rosto.

– Vamos, Paelen, acorde. Nossa jornada está apenas começando.

Paelen soltou um resmungo baixo e abriu os olhos. Quando viu quem o apoiava, seus olhos se arregalaram.

– Diana! – ele exclamou alarmado.

– Não tenha medo de mim, ladrãozinho. Você conquistou o meu respeito. Está bem o suficiente para se levantar?

Paelen fez que sim com a cabeça e se levantou meio trêmulo.

– Nirads! – ele gritou. – Eles estão aqui.

– A Emily já me contou. Temos que ir até o Pegasus.

– E até o Joel – Emily falou. – Não podemos esquecer o Joel.

– É claro que não – Diana concordou. – Vamos pegar o Joel primeiro e depois buscamos o Pegasus. – Diana viu o que Emily estava carregando. – Você está com as rédeas!

Ela as ofereceu a Diana, que recusou com um movimento de cabeça.

– Não, criança. Fique você com isso. Talvez precise delas se os Nirads nos alcançarem.

Finalmente recuperado, Paelen foi até a porta.

– Joel está neste mesmo andar, não muito longe daqui.

Diana ajudou Emily a subir nas costas dele.

– Como está a perna? – ela perguntou.

– Não muito boa – Emily admitiu –, mas não vou deixar isso nos atrasar.

Em um gesto que surpreendeu Emily, Diana se inclinou e deu um beijo em sua bochecha.

– Esta é a minha garota corajosa! Vamos, temos que partir.

Arrombar a porta de Joel não foi tão dramático. Com os dois Olímpicos usando sua força superior, a fechadura não resistiu e pouco depois a porta foi aberta. Emily ficou agradecida por Joel não ter sido acorrentado. Ele estava parado no meio do quarto, esperando por eles.

– Você demorou para voltar, hein? – ele reclamou com Paelen. Então viu Emily e a abraçou forte. – Fiquei tão preocupado com você!

– Eu também – ela concordou e o abraçou também. – Os Nirads estão aqui, Joel. Temos que buscar o Pegs!

Joel olhou para o pequeno grupo.

– Cadê o seu pai?

Emily lutou com suas emoções, que ameaçaram encher seus olhos de lágrimas.

– Ele não está aqui, parece que o levaram para outro lugar, mas não sei onde.

Joel a abraçou de novo.

– Não se preocupe, Em, vamos encontrá-lo.

– Bom, não vamos achar ninguém se os Nirads nos pegarem – Paelen alertou. – Temos que buscar o Pegasus e sair logo daqui!

Emily foi colocada novamente nas costas de Paelen e eles seguiram até as escadas.

– Pegasus está preso no último andar lá de baixo – Paelen falou –, mas não me agrada ter de usar as escadas de novo. Os Nirads estão descendo por elas.

– Não temos escolha – Diana falou, abrindo as portas e os guiando em frente.

Todos ouviram os ferozes sons dos Nirads misturados com tiros e homens gritando, que pareciam vir de vários andares acima.

– Eles estão se aproximando – Diana alertou. – Temos que andar rápido.

Quando desceram e viraram em uma das curvas da escada, deram de cara com os agente J e O.

– Não se movam! – o agente J ordenou, pegando sua arma.

– Não seja tolo! – Diana respondeu com desdém. – Os Nirads estão aqui e vão matar você e todos neste lugar. Eles querem o Pegasus. Se o tirarmos daqui, eles nos seguirão e os seus homens não precisarão morrer.

– Você não vai levar aquele cavalo a lugar nenhum! – ele respondeu.

– Cavalo? – Diana vociferou furiosa. – Chamou ele de cavalo?

Se movendo mais rápida do que um raio, Diana atacou.

– Como ousa? – perguntou enquanto empurrava os dois agentes contra a parede com a força de um trem de carga. – Ele é o PEGASUS!

Os homens não tiveram a menor chance contra a Olímpica enraivecida. O ar saiu tão rápido de seus pulmões que eles desmaiaram na hora e caíram no chão. Diana passou por cima deles.

– Considerem-se afortunados – falou para os corpos inertes. – Se tivesse tempo, mostraria a vocês quanto estou furiosa pelo que fizeram com Emily e Pegasus.

Em vez disso, ela empurrou as portas que davam para o corredor com força suficiente para arrancá-las das dobradiças. Emily olhou para Joel, que, assustado, deu de ombros. Eles entraram no corredor onde ficava o quarto de Pegasus e os poucos soldados que lá estavam não queriam brigar, tinham visto as portas serem arrancadas das dobradiças e não pretendiam enfrentar a Olímpica furiosa.

– Pegasus está lá no final – disse Emily, apontando para a grande porta do quarto ao qual fora levada. Quando chegaram, Paelen a pôs no chão e se preparou para arrombar a porta com Diana.

– Esperem! – Emily falou. – Sei o código, não precisam arrombar.

Joel a ajudou a alcançar o teclado e digitar o código que vira o agente J usar. Imediatamente a luz verde piscou e a porta se abriu. Mesmo antes de entrar, Emily ouviu o melhor som de sua vida: o relinchar de Pegasus. Quando passou pela porta, seu coração se iluminou com a visão do garanhão em pé.

– Pegs! – disse ela, jogando seus braços em volta do robusto pescoço do garanhão e sentindo sua força. – Ó, Pegs, pensei que você fosse morrer!

– Ele ainda pode morrer se não sairmos daqui – Joel lembrou. – Esqueceu os Nirads? Aqueles caras de quatro braços, fedidos e com dentes grandes, lembra? Eles estão nas escadas e, se não andarmos logo, vão nos encurralar aqui!

– Ele tem razão – Diana falou e foi até Emily. – Pode me dar as rédeas, por favor?

Quando Emily as entregou, Diana usou sua incrível força para quebrar as rédeas de ouro em vários pedaços grandes.

– Infelizmente não temos tempo para forjar armas melhores – ela disse, dando um pedaço para cada um. – Por enquanto terá que servir. Se os Nirads chegarem perto de vocês, usem isso contra eles e o ouro os matará, mas não larguem seus pedaços; eles serão sua única arma.

Diana deu o maior e mais afiado pedaço para Emily.

– Não, é melhor ficar com você – Emily protestou. – Você luta melhor do que eu.

– Mas você é mais importante – Diana retrucou.

– Quê? – ela disse confusa. – Não, não sou. Você e o Pegasus é que são. É melhor ficar com você... – Emily viu algo bem no fundo dos olhos de Diana.

– Oh – ela acabou dizendo suavemente.

Pegasus relinchou impaciente com suas orelhas para a frente e seus olhos arregalados.

– Eles estão se aproximando! – disse Diana, se virando para Paelen. – Me ajude a colocar Emily sobre o Pegasus. Ele vai cuidar dela a partir de agora. O resto de nós lutará se for preciso.

Emily fez o possível para ficar em silêncio enquanto eles a colocavam nas costas de Pegasus, mas gritou quando mexeram na perna machucada para a deixarem na posição certa.

– Me desculpe, criança – Diana falou gentilmente. – Quando tudo isso acabar, vamos cuidar de sua perna.

Lágrimas de dor surgiram nos olhos de Emily, mas ela não disse nada enquanto seus companheiros se posicionavam. Diana ia à frente; Paelen estava um passo atrás e depois vinha Joel. Emily podia ver o medo nos olhos brilhantes de seu amigo, mas sua postura era de determinação. Ele estava preparado para lutar e morrer junto com os Olímpicos.

– Muito bem – Diana falou. – Quando avançarmos, temos que tentar chegar até aquela grande caixa de metal que nos levará até a superfície.

– Isso se chama elevador – Emily falou. – Tem um na outra ponta do corredor. – Ela se segurou na crina do garanhão. – Estamos quase lá, Pegs.

Pegasus deu uma olhadela para trás e relinchou suavemente. Diana liderou seu grupo em frente. Quando passaram correndo pela entrada das escadas, Emily percebeu que os agentes J e O tinham desaparecido. O barulho alto e gutural dos Nirads estava mais próximo. Não demoraria muito para eles chegarem àquele andar.

– Corram! – Diana gritou. – Vamos até o elevador antes que eles cheguem a este andar!

Todos correram e, quando alcançaram o elevador de carga, Joel apertou o botão e, impaciente, começou a pular de um pé para o outro.

– Espero que essa coisa ainda esteja funcionando.

– Se não estiver, teremos um grande problema – Paelen concluiu.

Momentos antes de ouvirem o barulho do elevador parando, os primeiros Nirads chegaram àquele andar. Eles entraram no corredor e encararam o grupo. Com o reconhecimento queimando em seus olhos negros, atacaram furiosamente.

– Rápido! – Joel exclamou – Mais rápido, por favor!

Quando as portas do elevador de carga se abriram, Emily se abaixou e Pegasus entrou, com Joel bem atrás deles, mas quando se viraram, Diana e Paelen não os seguiram.

– Diana, Paelen, entrem logo! – Emily gritou. – Rápido, antes que eles nos alcancem!

Diana se negou com a cabeça.

– Não, criança. Devo ficar aqui e manter os Nirads afastados de você. – Ela olhou para Pegasus. – Você sabe o que está em jogo, não se preocupe comigo. Leve o Fogo para o Olimpo!

Pegasus estremeceu, depois relinchou alto e bateu no chão com seu casco de ouro.

– Não, eu tenho que ficar – Diana repetiu. – Conte ao meu pai o que aconteceu. Liberte o Olimpo, Pegasus. Agora a tarefa cabe a você.

– Paelen, Diana, por favor – Emily implorou.

Quando as portas começaram a se fechar, Emily viu Paelen dar um empurrão brutal em Diana, que perdeu o equilíbrio e caiu dentro do elevador, ao lado das patas de Pegasus. Quando as portas se fecharam, ela o ouviu gritar:

– Me perdoe!

Capítulo 31

— Paelen! – Emily gritou e se virou rapidamente para Joel. – Abra as portas! Não podemos deixar os Nirads pegarem ele!

– Não! – Diana se levantou e bloqueou o caminho de Joel. – Paelen se sacrificou por nós. Não podemos desonrá-lo falhando em nosso objetivo.

– Mas eles vão matá-lo! – Emily gritou.

– Sim, vão – Diana falou seriamente –, mas enquanto fazem isso, graças a Paelen teremos tempo para escapar.

Emily sentiu seu coração se despedaçar ao pensar naquelas terríveis criaturas estraçalhando o gentil Paelen.

– Paelen... – ela choramingou baixinho enquanto o elevador subia devagar.

Quando as portas se abriram, foram recebidos por uma visão terrível. Soldados mortos e feridos cobriam o chão e o choro e os murmúrios dos que agonizavam aumentavam a horrível sensação de perda. Emily não conseguia entender onde eles estavam. Parecia uma casa bonita, em estilo sulista. Eles emergiram em um grande salão, com mobílias antigas alinhadas com as paredes e um carpete espesso e caro cobrindo o chão. Aquilo não podia ser parte da instalação, podia?

– Onde estamos? – Joel perguntou também confuso enquanto olhava aquele salão.

– Na Ilha do Governador – Emily respondeu –, mas eu não sabia que tinham casas como esta aqui.

– Venham, temos que ir andando – Diana os alertou.

Eles chegaram a um salão de entrada grandioso. À direita havia uma elegante escada que levava ao andar de cima e outros cômodos ao redor davam para aquela entrada. Para todos os lados que olhavam viam soldados mortos nos belos pisos de madeira. Um enorme candelabro de cristal estava pendurado no teto alto. Quando Emily olhou para ele, um calafrio passou por seu corpo. Havia sangue naquelas gotas de cristal.

– Quantos Nirads estão aqui? – Joel perguntou.

– Nirads demais – Diana falou.

De repente os agentes J e O apareceram no salão de entrada.

– Eu disse que vocês não iam a lugar nenhum! – o agente J gritou, apontando sua arma e olhando furioso para Diana. – As balas talvez não a detenham, mas Emily e o garoto são humanos. A menos que se rendam agora mesmo, juro que matarei um deles.

Emily sentiu a tensão de Pegasus embaixo de si. Suas orelhas viraram para a frente enquanto ele jogava a cabeça para trás e soltava um guincho alto e feroz. O garanhão empinou e então atacou velozmente. Um de seus cascos dourados acertou o agente O no peito; o outro acertou a cabeça do agente J em um impacto letal. Quando os dois homens caíram, Pegasus caminhou até a entrada da casa, se inclinou nas patas traseiras e chutou as belas portas de madeira antiga, que foram estraçalhadas pela força do garanhão nervoso.

Emily ficou surpresa ao ver que agora estavam na varanda de uma grande casa com pilares. Do outro lado da rua arborizada, à luz de lamparinas, viu outras casas enormes, iluminadas e parecendo muito acolhedoras.

– Minha família foi para Atlanta há alguns anos – Joel disse surpreso. – Algumas casas lá eram exatamente iguais a estas. Tem certeza de que estamos na Ilha do Governador?

Emily se inclinou para a frente em cima de Pegasus e viu as luzes brilhantes de Manhattan a distância.

– Lá está a cidade. Aqui é a Ilha do Governador.

– Onde estamos não importa mais – Diana falou rispidamente, ajudando o garanhão a descer os íngremes degraus de madeira. – É para aonde vamos que interessa. Não vai demorar muito para que os Nirads voltem à superfície. Temos que partir antes disso.

Ela olhou para o garanhão.

– Pegasus, está recuperado o suficiente para levar todos nós ou eu devo ficar?

Ele fez um carinho gentil em sua prima e relinchou suavemente.

– Mas é claro – ela respondeu. Depois se virou para Joel. – Suba, ele pode nos carregar.

– E a Filha de Vesta? – Joel perguntou enquanto Diana o ajudava a subir nas costas do garanhão. – Teremos lugar para ela também?

Diana pulou sobre Pegasus atrás dele.

– Ela já está conosco – falou suavemente.

– Quê? – Joel exclamou.

Emily se virou e olhou para Diana.

– Sou eu, não é? Sou a Filha de Vesta e o Fogo do Olimpo.

Sem dizer nada, Diana assentiu com a cabeça.

– Não, Emily! – Joel falou. – Não pode ser você!

– Está tudo bem, Joel – ela disse calmamente. – Eu já suspeitava disso há um tempo.

– Como foi que teve certeza, criança?

Emily deu um tapinha no pescoço do garanhão.

– Foi mais de uma coisa, na verdade. Comecei a pensar nisso lá na ponte. Você e o Pegs poderiam ter escapado. Se a Filha de Vesta estivesse em algum lugar por aí, Pegasus teria me deixado e ido atrás dela, mas não fez isso; ele lutou com os soldados para me proteger. Então, quando ouvi que estava morrendo, soube que tinha que ir até ele, que de alguma forma eu poderia ajudar. Quando o toquei, senti-o reagir. Depois de algumas horas comigo, Pegasus ficou bem mais forte. E finalmente tive certeza quando você disse que eu era mais importante. Você não teria dito isso se eu não fosse a Filha de Vesta.

– Tem razão – Diana confirmou. – Você é mais importante do que todos nós. O Fogo está muito forte e brilhante dentro de você agora. É por isso que Pegasus se cura tão rápido quando está em sua companhia, primeiro no terraço de seu prédio e depois neste lugar. Quando seus sentimentos por ele cresceram, seus poderes de cura também cresceram. Você salvou o Pegasus, Emily.

– E com sorte, talvez também possa salvar o Olimpo – Emily falou séria.

– Não – Joel insistiu. – Não vou deixar você se sacrificar. – Ele engasgou e olhou para Emily. – Você não pode morrer.

Emily esticou o braço para trás e deu a mão para Joel.

– Está tudo bem, acredite em mim. Se eu fizer isso, o Olimpo será restaurado e você, meu pai e o mundo todo estarão salvos. Eu quero fazer isso. Por favor, me deixe fazer o que devo fazer.

– Mas Emily... – Joel abaixou a cabeça sem conseguir articular as palavras. Ele apertou a mão dela e desviou o olhar.

O terrível barulho dos Nirads surgiu no ar. Eles estavam na casa e seguiam em direção à porta da frente.

– Eles estão vindo – Emily falou. – Pegs, nos leve para o Olimpo.

Capítulo 32

Sentada bem atrás das asas de Pegasus, Emily sentiu a força dele crescendo enquanto trotava para longe da casa. Quando chegaram a uma área aberta, ele se virou e relinchou.

– Ele disse para se segurarem – Diana traduziu. – A asa dele está recuperada, mas ainda não foi testada. Talvez nosso voo não seja tranquilo.

– Você consegue, Pegs – Emily falou dando tapinhas no pescoço dele. – Sei que você pode.

Quando Pegasus passou do trote para um bom galope, abriu suas grandes asas brancas. Emily se segurou em sua crina quando ele começou a voar de forma confiante. Ela sentiu Joel apertar mais sua cintura quando Pegasus subiu e voou por cima da água escura.

Manhattan estava bem à frente. Quando olhou para as belas e brilhantes luzes, Emily percebeu que aquela seria a última vez que veria sua casa. Se chegassem a salvo no Olimpo, ela morreria no Templo do Fogo.

O que aconteceria com seu pai? Onde ele estava? Ela iria partir sem que ele soubesse o que havia acontecido, que ela o amava e tinha feito aquilo por ele. Aquela era a pior dor de todas.

Respirando fundo, Emily olhou para Nova York. A cidade ficaria a salvo e os milhões de pessoas que viviam nela nunca veriam ou ouviriam um Nirad.

– Ei, esperem por mim! – chamou uma voz fraca atrás deles.

– Paelen?

Ao se virarem, Emily e Joel viram Paelen se esforçando para alcançá-los voando de forma instável pela noite escura. Apenas as asas de uma sandália batiam e ele estava coberto de sangue.

– Paelen! – Emily exclamou. – Você sobreviveu aos Nirads!

– Você está bem? – Joel perguntou.

– Não! – respondeu. – Mas vou sobreviver. Será que podem desacelerar, por favor, para que eu possa alcançá-los? Os Nirads feriram uma sandália e só a outra está funcionando.

O garanhão bufou.

– Pegasus disse que pode segurar na cauda dele – Diana falou para Paelen. – Ele pode ajudar a carregá-lo, mas devemos ir mais rápido se queremos chegar ao Olimpo.

Era difícil para Emily ver Paelen claramente no céu noturno, mas enquanto voavam por cima de Nova York, as luzes da cidade revelaram seus ferimentos profundos.

– O que eles fizeram com você? – Emily exclamou.

– Tentaram me desmembrar – ele respondeu –, mas consegui esticar meu corpo e assim eles não puderam fazer o que queriam, mas acabei com muitos ossos quebrados.

– Sua bravura será recompensada, Paelen – Diana prometeu. – Meu pai vai saber o que fez por nós.

Antes que ele pudesse responder, Pegasus relinchou para Diana.

– Emily, Joel – ela chamou. – Segurem firme. Estamos quase entrando na Corrente Solar para o Olimpo.

– Vamos entrar onde? – Joel tentou perguntar.

Repentinamente eles estavam se movendo a uma velocidade impossível. A luz das estrelas à volta deles virou um borrão de luz branca. Para Emily, aquilo parecia efeito especial de um filme de ficção científica, mas não era um filme, aquilo era muito real.

Olhando para trás, viu Paelen quase surfando na luz enquanto se esforçava para segurar na cauda de Pegasus. Sua única sandália batia as asas freneticamente para acompanhar o ritmo e os gritos de terror de Paelen iam ficando para trás.

Mas o que a surpreendeu de verdade foi Pegasus, que ainda batia suas grandes asas. O que aconteceria se ele parasse? Emily imaginou sombriamente. E como Diana tinha conseguido chegar à Terra sem asas?

Enquanto esses pensamentos giravam em sua cabeça, Emily se esqueceu de seu terrível destino por um momento, mas quando Pegasus diminuiu a velocidade e a luz branca voltou a ser apenas a luz das estrelas, ela sentiu o medo retornar.

Não muito à frente, Emily viu o que parecia ser o topo de uma montanha se erguendo com o sol brilhando nela. Eles saíram do céu estrelado para um belo dia de sol. O céu era de um azul brilhante, mais azul do que o azul da Terra, e em volta deles havia muitas nuvens espessas, brancas e fofas. Quando Pegasus voou entre elas, Emily pôde sentir uma rica doçura em seus lábios. Voando a uma altura cada vez menor, logo puderam ver exuberantes campos verdes abaixo. A montanha surgia do verde e Emily percebeu que iam em direção a ela.

– Aquele é o Monte Olimpo? – ela perguntou a Diana.

– Tudo isto é o Olimpo, não só a montanha – ela respondeu –, mas nós vivemos mesmo no topo da montanha.

– Igual à mitologia – Joel acrescentou enquanto olhava em volta maravilhado. – Existe o Monte Helicon, onde vivem as Musas?

– Existe. Foi por onde os Nirads entraram em nosso mundo. As Musas foram as primeiras a ser capturadas e o Monte Helicon foi o primeiro a ser tomado.

Quando se aproximaram da montanha, Emily tentou ver tudo o que era possível. Havia enormes estruturas de mármore branco brilhante, mas, quando chegaram perto, percebeu que haviam sido derrubadas e destruídas.

– Os Nirads fizeram isso? – ela perguntou.

– Sim, e outras coisas muito piores – Diana falou.

Emily e Joel olharam para as ruínas do Olimpo e finalmente entenderam contra quem estavam lutando. Antes de ser destruído, aquele mundo devia ter sido o lugar mais bonito que se possa imaginar.

Abaixo deles, a quantidade de entulho aumentou quando entraram no que devia ter sido uma área de grande concentração populacional. Mais do que isso, para seu horror, Emily começou a ver cadáveres de Olímpicos. Ver os homens mortos na instalação da Ilha do Governador tinha sido ruim, mas aquilo era muito pior. Havia pessoas de todas as idades e até crianças e animais estranhos; todos mortos.

– Isto é tudo culpa minha – Emily fungou.

– Não é não! – Joel falou horrorizado. – Não fala besteira!

– Não é besteira, Joel. Se eu sou o Fogo do Olimpo, então quando ele ficou fraco em mim, enfraqueceu aqui também. Eu permiti que os Nirads atacassem e matassem todas essas pessoas.

– Não, você está errada! – ele protestou. – Não vou deixar que se culpe por isso. Os Nirads são os culpados, não você.

– Me desculpe, Joel – Diana interrompeu. – Emily não está totalmente errada. Ela é o Fogo do Olimpo. – Ela olhou para Emily. – Mas ela não causou isso intencionalmente. Agora entendo o que causou tudo.

– O quê? – Emily perguntou fracamente.

– O amor – ela respondeu. – O amor profundo que você tinha por sua mãe. Quando ela morreu, a tristeza a dominou e isso diminuiu a Chama. Não foi uma doença, como eu suspeitei no começo. Era a tristeza.

– Mas e agora? – Emily perguntou com um sussurro. – Sobrou Fogo suficiente em mim para salvar o Olimpo e o mundo?

Diana assentiu com a cabeça.

– Ah, sim, criança. Até mesmo eu posso senti-lo brilhando forte aí dentro. Você está se recuperando. Acredito que o Pegasus tenha muito a ver com isso.

O garanhão resfolegou suavemente. Emily sentiu o coração cheio de sentimentos por Pegasus. Diana tinha razão. Conhecer o garanhão e se importar com ele tinha finalmente apagado a dor cortante que ela sentia pela perda da mãe. Ela olhou para Diana:

– Quando o Templo do Fogo for aceso novamente, você poderá salvar essas pessoas? Seu irmão viverá de novo?

– Espero que sim. Sem essas pessoas o Olimpo não existe.

Pegasus começou a planar sobre as ruínas.

– Estamos descendo – Diana falou. – Temos que ficar preparados. Ainda corremos muito perigo. Pegasus nos trouxe o mais perto possível do Templo, mas ainda há legiões de Nirads por aqui. O único objetivo deles será matar Pegasus e Emily.

– Eles sabem quem eu sou?

– Acho que não – Diana respondeu. – Como você já foi ferida antes, eles pensarão que você é importante o suficiente para ser morta, e a perseguirão tanto quanto Pegasus.

– Seremos cuidadosos – Joel falou –, mas se tivermos que lutar, lutaremos.

– Eu estou pronto para lutar – Paelen concordou.

Emily olhou para ele e viu os ferimentos profundos e os ângulos estranhos de seus braços e pernas. Não eram apenas alguns ossos que estavam quebrados.

Pegasus pousou um pouco depois e Emily ficou surpresa com quanto o ar estava parado em volta deles.

– É sempre tão silencioso por aqui?

Diana sacudiu a cabeça negativamente enquanto descia do garanhão e depois ajudava Joel a fazer o mesmo.

– Não, é que todos os animais, pássaros e insetos fugiram do massacre dos Nirads.

Quando Paelen tocou o chão, Diana o fez ir até Emily.

– Segure a mão dela. Isso vai ajudá-lo a se curar.

Emily esticou o braço e segurou a mão dele. Quando fechou os dedos em torno do pulso de Paelen, sentiu os ossos mudarem de forma, deslizarem e se juntarem novamente. Depois de alguns momentos ele já podia ficar em pé mais tranquilamente e não parecia sentir tanta dor.

– Não estou entendendo nada – Paelen falou, olhando para Emily com admiração. – Como está fazendo isso?

Joel colocou o braço em volta dos ombros de Paelen.

– É uma longa história e agora não temos tempo de contar. Está se sentindo bem o suficiente para lutar?

Paelen lançou o seu sorriso torto para Emily.

– Eu poderia vencer o Júpiter agora! – ele falou.

Diana riu daquilo.

– Não deixe meu pai ouvir você falando isso. – Depois ela olhou em volta. – Temos que ir andando. O Templo está um pouco distante daqui. Todos ainda estão com seus pedaços de ouro?

Emily e Joel levantaram seus pedaços das rédeas douradas de Pegasus. Paelen sacudiu a cabeça negativamente.

– O meu ainda está enfiado na cabeça de um Nirad, lá na Ilha do Governador.

Diana pegou o pedaço de Emily, dividiu em dois e deu uma parte para a garota e a outra para Paelen.

– Não perca este aqui. Vamos precisar de todos os pedaços agora.

Emily continuou montando Pegasus enquanto o grupo caminhava devagar entre os escombros que um dia foram o Olimpo. Em muitas ocasiões ela teve que desviar o olhar de cenas horríveis encontradas pelo caminho. Com os nervos à flor da pele, concentrou os olhos e os ouvidos para detectarem qualquer sinal dos Nirads, mas não viu nada, apenas destruição, e ouviu apenas o vento suave soprando.

– Onde estão os Nirads?

– Não sei – Diana respondeu olhando em volta –, mas isto me preocupa. Havia milhares deles aqui não muito tempo atrás. Temos que continuar alerta. Não acredito que já tenham partido.

Avançando, chegaram ao local que fora o cenário da batalha mais feroz. No meio daquelas ruínas, Emily viu degraus altos que levavam ao que sobrara de um templo. Os grandes portões de metal no alto tinham sido arrancados das dobradiças e colocados nos degraus. Instintivamente ela reconheceu aquele lugar.

– Este é o Templo do Fogo, não é? – perguntou, apontando as ruínas.

Diana assentiu, mas não disse nada. Ela se ajoelhou ao lado do corpo de um Olímpico que tinha tombado, esticou a mão e acariciou gentilmente os cabelos pretos que cobriam um rosto ferido e ensanguentado. Lágrimas silenciosas escorreram por suas bochechas. Ao ver aquela mulher forte e confiante ajoelhada e chorando, Emily percebeu todos os sacrifícios que já tinham sido feitos.

– É o seu irmão? – Joel perguntou.

Diana fungou e assentiu com a cabeça.

– É o Apolo. Ele era um guerreiro corajoso e honrado, e eu o amava muito. – Ela olhou em volta para os outros guerreiros mortos. – Todos eram muito corajosos.

– Ele será vingado – Paelen falou determinado. – Prometo, Diana, que todos eles serão vingados.

Os terríveis grunhidos dos Nirads sacudiram serenidade do lugar. Emily olhou para trás e seus olhos se arregalaram com a visão de centenas deles surgindo do nada e se aproximando.

– Temos que correr! – Diana exclamou ao se levantar, afastar-se do irmão morto e ir rapidamente até Emily e Pegasus. – Agora é com você, criança. Você é a única esperança deste mundo. Seu sacrifício pode salvar todos nós. Compadeço-me com o que terá de enfrentar agora, mas juro que seu nome e seu sacrifício não serão esquecidos por nenhum Olímpico!

Ela trouxe o rosto de Emily para perto de si e a beijou na bochecha.

– Sua mãe ficará muito orgulhosa de você quando se encontrarem nos Campos Elísios.

Lágrimas surgiram nos olhos de Emily no momento em que ela percebeu que a hora de sua morte havia chegado. Depois de apenas treze curtos anos, sua vida iria acabar na agonia do fogo em um mundo devastado.

– Vá com Pegasus e Emily, Joel. Pegasus os levará até o Templo – Diana ordenou. – Paelen e eu faremos o possível para deter o máximo de Nirads que conseguirmos. – Ela olhou novamente para Emily. – Vá agora, criança, cumpra o seu destino!

Emily nem teve tempo de se despedir de Paelen e Diana, pois Pegasus disparou. Joel teve que se esforçar para acompanhar e correr ao lado deles enquanto seguiam rumo ao Templo do Fogo. Quando chegaram nas escadas, Emily viu centenas ou talvez milhares de Nirads atacando seus companheiros. Diana jogou a cabeça para trás e soltou o grito de guerra mais alto que Emily já ouvira. Com Paelen ao seu lado, levantaram os afiados pedaços das rédeas douradas e atacaram a massa de Nirads que chegava.

Já nos degraus, Pegasus hesitou.

– Me leve até lá, Pegs – Emily falou suavemente enquanto as lágrimas rolavam de seus olhos. – Se eu não fizer isso agora, eles matarão você e o Joel. Me deixe fazer isso por você.

Ainda hesitando, Pegasus começou a subir os degraus de mármore e Emily ouviu Joel fungando ao seu lado.

– Não sei se consigo assistir isso – Joel sussurrou.

Emily olhou bem nos olhos vermelhos e marejados do amigo.

– Está tudo bem, Joel. De verdade. Se você por acaso conseguir sobreviver a isto, por favor, me prometa que voltará à Terra e achará o meu pai. Se a UCP ainda estiver com ele, ajude-o a escapar, traga-o para cá e não deixe que o machuquem.

Joel olhou para ela, mas não conseguiu falar nada. Ele assentiu com a cabeça. No alto das escadas, Pegasus parou e Emily olhou novamente para Joel.

– Pode me ajudar a desmontar?

Joel a ajudou a descer de Pegasus e depois a se apoiar na perna boa.

– Quer que eu a ajude a entrar no Templo? – ele sussurrou.

Pegasus bufou e relinchou de maneira suave. Emily fungou e sacudiu a cabeça negativamente.

– Acho que não é permitido. – Com a tristeza tomando conta de si, ela colocou os braços em volta do pescoço de Joel e o abraçou apertado. – Fiquem bem, por favor – ela choramingou.

– Vou tentar – ele prometeu e, quando se separaram, beijou Emily na testa. – Obrigado por ser minha amiga, Emily. – Então, depois de um vislumbre final para trás, ele pegou seu pedaço de ouro e desceu correndo os degraus do templo para se juntar a Diana e Paelen na resistência contra os Nirads.

– Joel, não! – Emily gritou, mas ele não demonstrou ter ouvido e continuou correndo e gritando para a legião de Nirads.

– Ah, Pegasus – ela choramingou.

Pegasus foi até ela e fez um carinho com seu focinho. Emily sabia que ele estava dizendo que era hora de ir. Ela tinha um destino a cumprir: salvar o Olimpo. Quando ele abriu sua asa recém-curada, Emily a usou como apoio enquanto pulava em um pé só para chegar à entrada.

As ruínas do Templo estavam vazias, a não ser pela enorme concha de mármore onde um dia o Fogo do Olimpo tinha brilhado e queimado. Ela tinha sido derrubada de seu suporte e estava rachada.

Pegasus a levou devagar até a concha. Lá, Emily soube que estava prestes a morrer. Pulando para a frente, ela chegou perto da cabeça do garanhão. As lágrimas caíam como uma cachoeira e ela já não enxergava claramente.

– Fico feliz que seja eu, Pegs – falou com a voz trêmula. – Não queria que você se importasse com mais ninguém. Mesmo sabendo que vou morrer, no fundo do meu coração, sei que pelo menos por um tempo você foi meu. Só gostaria de termos tido mais tempo juntos...

Emily abraçou a cabeça dele e, quase sem voz, falou:

– Eu te amo, Pegasus.

Soltando-o, Emily pulou até a grande concha de mármore. Ao lançar um último olhar para trás, viu o garanhão preto e marrom e de asas brancas abaixando a cabeça e arranhando o chão de tristeza.

– Lembre-se de mim, Pegs, por favor – ela falou enquanto virava a cabeça e subia na grande concha de mármore.

Capítulo 33

No momento que Emily ficou em pé e ereta na concha, sentiu uma dor cortante em seu coração. Ela apertou o peito e gritou em agonia. Era o momento. A morte. Estava prestes a ser queimada viva.

Um momento depois, chamas brilhantes e enormes saíram de seu peito. A explosão de fogo e energia preencheu o Templo com uma luz branca e se espalhou como se fosse grandes ondas na água. Voando em todas as direções, ele saiu do Templo e se espalhou por todo o Olimpo. O fogo saía de cada pedacinho dela, a consumindo e sendo lançados de cada poro de seu corpo.

Parada no meio daquelas chamas, a dor foi diminuindo aos poucos até desaparecer completamente. Emily olhou em volta procurando por sua mãe. Ela sempre tinha ouvido que, no momento que uma pessoa morre, a família vai buscá-la. Mas onde estava sua mãe? E o seu avô? E todos os outros que já tinham partido?

Tudo o que ela via era o fogo e a luz brilhante. Emily sentiu-se dominada por uma crescente sensação de paz.

Emily esperou, mas não sabia por quanto tempo. Tudo o que sabia era que, de algum jeito, ainda era ela mesma. Podia pensar, sentir e se lembrar de todo o amor e de todas as memórias que tinha. Lembrava-se de tudo a respeito de sua vida, os anos felizes com a mãe e o pai em Nova York, a doença da mãe e sua morte. E apesar de haver certa dor naquela memória, Emily sabia que não era tão grande quanto antes, mas ela também sabia que a mãe estaria esperando por ela do lado de fora do fogo.

Ela pensou em Joel, o doce, bravo e ferido Joel e a primeira vez que subiram as intermináveis escadas de seu prédio. Aquilo parecia ter acontecido há muito tempo. Prometera a si mesma que encontraria a família dele e contaria tudo o que ele tinha feito por ela. Então se lembrou do sorriso torto de Paelen e de sua esperteza e de Diana, a bela e poderosa Diana chorando por seu irmão morto, mas mais do que tudo, Emily se lembrava de... Pegasus. Pensar no garanhão trouxe um sorriso aos seus lábios incandescentes. De todos os novos amigos em sua vida, Emily sabia que, ao morrer, era dele que sentiria mais falta.

Depois do mais curto dos momentos, ou talvez da mais longa eternidade, Emily sentiu algo mudar. As chamas estavam retornando. Logo, ela podia enxergar de novo e, de alguma forma, sabia que era hora de sair do fogo.

Uma nova jornada a esperava. Emily tinha certeza de que a mãe estaria esperando por ela. Quando se moveu até a ponta da concha, pôde ver por entre as chamas, e o que viu trouxe mais alegria do que ela poderia imaginar... Pegasus.

Ele não era mais marrom e preto. Pegasus era novamente de um branco brilhante e nenhuma pena estava fora do lugar em suas belas asas. Majestoso e orgulhoso, ele era perfeito.

Emily se abaixou e segurou na beirada da concha para se apoiar, percebendo que a rachadura tinha desaparecido. Não só isso. Ela não estava mais no chão do templo. De algum jeito, tinha voltado ao seu alto plinto.

Segurando na beirada e se esticando toda, Emily pousou sua perna boa no chão. Quando também colocou a outra, não sentiu dor. "Então era verdade!", ela pensou. "Todas as dores acabam quando você morre." Mas, quando se apoiou nela, viu que a perna ainda não conseguia suportar seu peso. Perdendo o equilíbrio, ela caiu com tudo no chão de mármore. Pegasus estava ao seu lado em um instante.

– Pegs? – perguntou confusa enquanto olhava para seus acolhedores olhos castanhos e sentia a língua dele em sua bochecha. – Você está me vendo?

– Todos podemos vê-la, criança – Diana falou.

Emily olhou para a frente e viu Diana parada na entrada do Templo vestida com uma deslumbrante túnica branca. Outra bela mulher estava parada ao seu lado. Emily sentiu que devia conhecê-la, mas não conseguia lembrar seu nome. Diana caminhou rapidamente até ela e ajudou Emily a se levantar. Deu à garota um manto Olímpico e a abraçou forte.

– Estamos muito orgulhosos de você.

– Mas eu morri – Emily falou. – Não estou entendendo nada.

– Você renasceu – a outra mulher falou. Depois caminhou em sua direção e a abraçou também. – Minha bela criança, meu Fogo. Eu sou Vesta.

Os olhos de Emily se arregalaram.

– Você é a Vesta? Jura? E eu estou viva?

As duas mulheres sorriram. Diana finalmente apontou com a cabeça para Pegasus.

– Se não acredita em mim, pergunte a ele. Pegasus jamais saiu do seu lado. Ele esperou aqui todo esse tempo pelo seu retorno.

Emily se virou para Pegasus e ele se aproximou. Ela encostou em seu focinho brilhante.

– Pegs? – falou ainda não acreditando na verdade, até que finalmente abraçou o pescoço dele. – Estou viva, Pegs!

– Todos nós estamos – Diana falou – graças a você. Por causa do que fez, do seu sacrifício, o Olimpo foi restaurado.

– Como? O que eu fiz?

– Vista-se e venha ver você mesma.

Emily colocou o manto e o amarrou na cintura. Depois se apoiou em Diana e Pegasus e os três foram até a entrada do Templo. Atrás deles, o Fogo continuou queimando brilhante sobre o seu suporte.

Os olhos de Emily se arregalaram incrédulos. Paradas na base dos degraus do Templo havia milhares de pessoas. Quando a viram emergir da entrada com Diana, Pegasus e Vesta, todos levantaram as vozes e gritaram em saudação.

– Este é o seu povo, Emily – Diana falou. – Todos estão vivos graças a você. Meu irmão está lá embaixo, esperando para agradecê-la pessoalmente. Logo o meu pai se juntará a nós e também oferecerá sua gratidão.

– *Júpiter*? – Emily falou surpresa.

Diana sorriu e assentiu.

Era muita coisa para absorver. Quando os olhos de Emily examinaram a multidão interminável, pousaram em Joel e Paelen, parados lado a lado no começo dos degraus.

– Joel! – Emily gritou e começou a acenar freneticamente. – Paelen!

Os dois começaram a subir os degraus, correndo em sua direção. Paelen chegou primeiro, envolveu a garota em seus braços e a abraçou forte. Joel veio logo atrás e, ao abraçá-la apertado, a rodopiou no ar como se dançassem.

– Não sei que diabos você fez lá dentro, ou como fez – Joel riu enquanto girava Emily mais uma vez –, mas funcionou!

Emily ficou sem palavras.

– Também não sei o que fiz – ela falou, rindo.

Pegasus a empurrou alegremente.

– Ele quer que você monte de novo – Diana traduziu. – E vai carregar você até lá embaixo.

Joel ajudou Emily a subir nas costas de Pegasus. Quando estava acomodada, o garanhão relinchou suavemente.

– Não, Pegasus – Vesta falou de maneira severa. – O Fogo do Olimpo acabou de emergir. Ela deve se encontrar com seu povo.

Emily olhou para Diana com mil perguntas em seus olhos.

Diana riu.

– O Pegasus falou para você segurar firme. Ele vai mostrar o Olimpo a você, mas do jeito dele.

Antes que Vesta pudesse protestar mais, Pegasus abriu suas asas, se apoiou nas patas traseiras e jogou a cabeça para trás em um animado relinchar, pulando com confiança do alto do Templo para o ar.

O coração de Emily se emocionou sentindo a força do garanhão embaixo dela. Enquanto segurava sua crina e sentia a batida forte de suas asas, a garota era parte dele. Eles eram um. Emily também jogou a cabeça para trás e gritou de alegria.

Pegasus fez um círculo completo no alto do Templo e, com Emily se segurando firme e a salvo em suas costas, bateu as asas mais rápido e a levou embora, passando por sobre as cabeças da massa que os aplaudia. Emily acenava para o povo enquanto passava, ainda mal acreditando no que estava acontecendo. Abaixo dela as cicatrizes da guerra iam se curando, à medida que os trabalhadores reconstruíam as belas construções.

Faltava apenas uma coisa: seu pai. Steve ainda era prisioneiro da UCP. Enquanto voava montada em Pegasus e sentia uma alegria incomparável, Emily sabia que não demoraria muito para que seu pai fosse libertado e eles ficassem juntos de novo. O que quer que viesse a seguir, Emily sabia que tudo daria certo enquanto Pegasus estivesse com ela.

MAPA DE NOVA YORK
(MANHATTAN E PONTOS TURÍSTICOS)

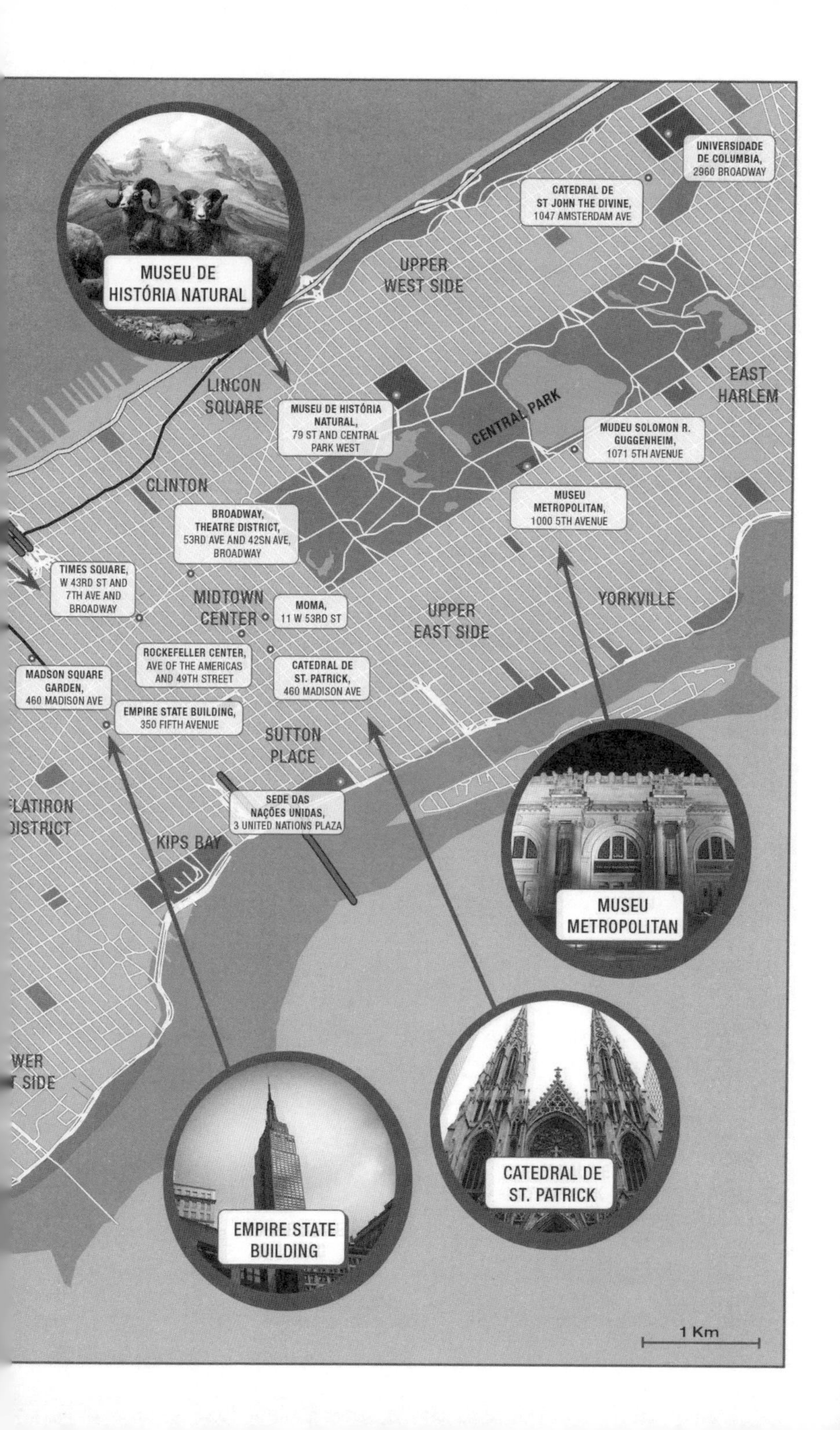
MUSEU DE HISTÓRIA NATURAL
UNIVERSIDADE DE COLUMBIA, 2960 BROADWAY
CATEDRAL DE ST JOHN THE DIVINE, 1047 AMSTERDAM AVE
UPPER WEST SIDE
EAST HARLEM
LINCON SQUARE
MUSEU DE HISTÓRIA NATURAL, 79 ST AND CENTRAL PARK WEST
CENTRAL PARK
MUDEU SOLOMON R. GUGGENHEIM, 1071 5TH AVENUE
CLINTON
MUSEU METROPOLITAN, 1000 5TH AVENUE
BROADWAY, THEATRE DISTRICT, 53RD AVE AND 42SN AVE, BROADWAY
TIMES SQUARE, W 43RD ST AND 7TH AVE AND BROADWAY
MIDTOWN CENTER
MOMA, 11 W 53RD ST
UPPER EAST SIDE
YORKVILLE
ROCKEFELLER CENTER, AVE OF THE AMERICAS AND 49TH STREET
CATEDRAL DE ST. PATRICK, 460 MADISON AVE
MADSON SQUARE GARDEN, 460 MADISON AVE
EMPIRE STATE BUILDING, 350 FIFTH AVENUE
SUTTON PLACE
FLATIRON DISTRICT
SEDE DAS NAÇÕES UNIDAS, 3 UNITED NATIONS PLAZA
KIPS BAY
MUSEU METROPOLITAN
CATEDRAL DE ST. PATRICK
EMPIRE STATE BUILDING
1 Km

Este livro foi composto em Adobe Garamond Pro
para Texto Editores Ltda.
em fevereiro de 2011.